Othello

ŒUVRES PRINCIPALES

Roméo et Juliette, Librio n° 9
Hamlet, Librio n° 54
Macbeth, Librio n° 178
Le roi Lear, Librio n° 351
Richard III, Librio n° 478
La nuit des rois
Richard II
La tempête
Le marchand de Venise
Beaucoup de bruit pour rien
Comme il vous plaira
Les deux gentilshommes de Vérone
La mégère apprivoisée
Peines d'amour perdues
Titus Andronicus
Jules César
Antoine et Cléopâtre
Coriolan
Le songe d'une nuit d'été
Les joyeuses commères de Windsor
La nuit des rois
Henri IV
Henri V
Henri VI
Le roi Henri VIII
Cymbeline

William Shakespeare

Othello

Traduit de l'anglais
par François-Victor Hugo

Librio

Texte intégral

PERSONNAGES

OTHELLO, le More de Venise.
BRABANTIO, sénateur, père de Desdémona.
CASSIO, lieutenant d'Othello.
IAGO, enseigne d'Othello.
RODERIGO, gentilhomme vénitien.
LE DOGE DE VENISE.
SÉNATEURS.
MONTANO, gouverneur de Chypre.
GENTILSHOMMES DE CHYPRE.
LODOVICO et GRATIANO, nobles vénitiens.
MATELOTS.
LE CLOWN.
UN HÉRAUT.

DESDÉMONA, fille de Brabantio, femme d'Othello.
ÉMILIA, femme d'Iago.
BIANCA, maîtresse de Cassio.

MESSAGERS, OFFICIERS, MUSICIENS ET SERVITEURS.

La scène est d'abord à Venise, puis dans l'île de Chypre

ACTE PREMIER

SCÈNE PREMIÈRE

*Venise. – Une place sur laquelle est située la maison
de Brabantio. Il fait nuit.*

Arrivent RODERIGO *et* IAGO.

RODERIGO. – Fi ! ne m'en parle pas. Je suis fort contrarié que
toi, Iago, qui as usé de ma bourse, comme si les cordons t'appar-
tenaient, tu aies eu connaissance de cela.

IAGO. – Tudieu ! mais vous ne voulez pas m'entendre. Si
jamais j'ai songé à pareille chose, exécrez-moi.

RODERIGO. – Tu m'as dit que tu le haïssais.

IAGO. – Méprisez-moi, si ce n'est pas vrai. Trois grands de la
Cité vont en personne, pour qu'il me fasse son lieutenant, le
solliciter, chapeau bas ; et, foi d'homme ! je sais mon prix, je ne
mérite pas un grade moindre. Mais lui, entiché de son orgueil
et de ses idées, répond évasivement, et, dans un jargon ridicule,
bourré de termes de guerre, il éconduit mes protecteurs. *En
vérité*, dit-il, *j'ai déjà choisi mon officier*. Et quel est cet officier ?
Morbleu ! c'est un grand calculateur, un Michel Cassio, un Florentin, un garçon presque condamné à la vie d'une jolie femme,
qui n'a jamais rangé en bataille un escadron, et qui ne connaît
pas mieux la manœuvre qu'une donzelle ! Ne possédant que la
théorie des bouquins, sur laquelle des robins bavards peuvent
disserter aussi magistralement que lui. Un babil sans pratique
est tout ce qu'il a de militaire. N'importe ! à lui la préférence !
Et moi, qui, sous les yeux de l'autre, ai fait mes preuves à Rhodes,
à Chypre et dans maints pays chrétiens et païens, il faut que je
reste en panne et que je sois dépassé par un teneur de livres, un
faiseur d'additions ! C'est lui, au moment venu, qu'on doit faire
lieutenant ; et moi, je reste l'enseigne (titre que Dieu bénisse !)
de Sa Seigneurie more.

RODERIGO. – Par le ciel ! j'eusse préféré être son bourreau.

IAGO. – Pas de remède à cela ! c'est la plaie du service. L'avan-
cement se fait par apostille et par faveur, et non d'après la vieille

gradation, qui fait du second l'héritier du premier. Maintenant, monsieur, jugez vous-même si je suis engagé par de justes raisons à aimer le More.

RODERIGO. – Moi, je ne resterais pas sous ses ordres.

IAGO. – Oh ! rassurez-vous, monsieur. Je n'y reste que pour servir mes projets sur lui. Nous ne pouvons pas tous être les maîtres, et les maîtres ne peuvent pas tous être fidèlement servis. Vous remarquerez beaucoup de ces marauds humbles et age-nouillés qui, raffolant de leur obséquieux servage, s'échinent, leur vie durant, comme l'âme de leur maître, rien que pour avoir la pitance. Se font-ils vieux, on les chasse : fouettez-moi ces hon-nêtes drôles !... Il en est d'autres qui, tout en affectant les formes et les visages du dévouement, gardent dans leur cœur la préoc-cupation d'eux-mêmes, et qui, ne jetant à leur seigneur que des semblants de dévouement, prospèrent à ses dépens, puis, une fois leurs habits bien garnis, se font hommage à eux-mêmes. Ces gaillards-là ont quelque cœur, et je suis de leur nombre, je le confesse. En effet, seigneur, aussi vrai que vous êtes Roderigo, si j'étais le More, je ne voudrais pas être Iago. En le servant, je ne sers que moi-même. Ce n'est, le ciel m'est témoin, ni l'amour ni le devoir qui me font agir, mais, sous leurs dehors, mon intérêt personnel. Si jamais mon action visible révèle l'acte et l'idée intimes de mon cœur par une démonstration extérieure, le jour ne sera pas loin où je porterai mon cœur sur ma manche, pour le faire becqueter aux corneilles... Je ne suis pas ce que je suis.

RODERIGO. – Quel bonheur a l'homme aux grosses lèvres, pour réussir ainsi !

IAGO. – Appelez le père, réveillez-le, et mettez-vous aux trous-ses de l'autre ! Empoisonnez sa joie ! Criez son nom dans les rues ! Mettez en feu les parents, et, quoiqu'il habite sous un cli-mat favorisé, criblez-le de moustiques. Si son bonheur est encore du bonheur, altérez-le du moins par tant de tourments qu'il perde de son éclat !

RODERIGO. – Voici la maison du père ; je vais l'appeler tout haut.

IAGO. – Oui ! avec un accent d'effroi, avec un hurlement ter-rible, comme quand, par une nuit de négligence, l'incendie est signalé dans une cité populaire.

RODERIGO, *sous les fenêtres de la maison de Brabantio.* – Holà ! Brabantio ! signor Brabantio ! Holà !

IAGO. – Éveillez-vous ! Holà ! Brabantio ! Au voleur ! au voleur ! Ayez l'œil sur votre maison, sur votre fille et sur vos sacs ! Au voleur ! au voleur !

BRABANTIO, *paraissant à une fenêtre.* – Quelle est la raison de cette terrible alerte ? De quoi s'agit-il ?

RODERIGO. – Signor, toute votre famille est-elle chez vous ?

IAGO. – Vos portes sont-elles fermées ?

BRABANTIO. – Pourquoi ? Dans quel but me demandez-vous cela ?

IAGO. – Sang-dieu ! monsieur, vous êtes volé. Au nom de la pudeur, passez votre robe ! Votre cœur est déchiré : vous avez perdu la moitié de votre âme ! Juste en ce moment, en ce moment, en ce moment même, un vieux bélier noir est en train de couvrir votre blanche brebis. Levez-vous ! levez-vous ! Éveillez à son de cloche les citoyens en train de ronfler, ou autrement le diable va faire de vous un grand-papa. Levez-vous, vous dis-je.

BRABANTIO. – Quoi donc ? Avez-vous perdu l'esprit ?

RODERIGO. – Très révérend signor, est-ce que vous ne reconnaissez pas ma voix ?

BRABANTIO. – Non ! Qui êtes-vous ?

RODERIGO. – Mon nom est Roderigo.

BRABANTIO. – Tu n'en es que plus mal venu. Je t'ai défendu de rôder autour de ma porte ; tu m'as entendu dire en toute franchise que ma fille n'est pas pour toi ; et voici qu'en pleine folie, rempli du souper et des boissons qui te dérangent, tu viens, par une méchante bravade, alarmer mon repos !

RODERIGO. – Monsieur ! monsieur ! monsieur !

BRABANTIO. – Mais tu peux être sûr que ma colère et mon pouvoir sont assez forts pour te faire repentir de ceci.

RODERIGO. – Patience, mon bon monsieur !

BRABANTIO. – Que me parlais-tu de vol ? Nous sommes ici à Venise : ma maison n'est point une grange abandonnée.

RODERIGO. – Très grave Brabantio, je viens à vous, dans toute la simplicité d'une âme pure.

IAGO. – Pardieu ! monsieur, vous êtes de ces gens qui refuseraient de servir Dieu, si le diable le leur disait. Parce que nous venons vous rendre un service, vous nous prenez pour des chenapans et vous laissez couvrir votre fille par un cheval de Barbarie ! Vous voulez avoir des petits-fils qui vous hennissent au nez ! Vous voulez avoir des étalons pour cousins et des genets pour alliés !

BRABANTIO. – Quel misérable païen es-tu donc, toi ?

IAGO. – Je suis, monsieur, quelqu'un qui vient vous dire que votre fille et le More sont en train de faire la bête à deux dos.

BRABANTIO. – Tu es un manant.

IAGO. – Vous êtes... un sénateur.

BRABANTIO, à Roderigo. – Tu me répondras de ceci ! Je te connais, toi, Roderigo !

RODERIGO. – Monsieur, je vous répondrai de tout. Mais, de grâce, une question ! Est-ce d'après votre désir et votre consentement réfléchi, comme je commence à le croire, que votre charmante fille, à cette heure indue, par une nuit si épaisse, est allée, sous la garde pure et simple d'un maraud de louage, d'un gondolier, se livrer aux étreintes grossières d'un More lascif ? Si cela est connu et permis par vous, alors nous avons eu envers vous le tort d'une impudente indiscrétion. Mais, si cela se passe à votre insu, mon savoir-vivre me dit que nous recevons à tort vos reproches. Ne croyez pas que, m'écartant de toute civilité, j'aie voulu jouer et plaisanter avec Votre Honneur ! Votre fille, si vous ne l'avez pas autorisée, je le répète, a fait une grosse révolte, en attachant ses devoirs, sa beauté, son esprit, sa fortune, à un vagabond, à un étranger qui a roulé ici et partout. Édifiez-vous par vous-même tout de suite. Si elle est dans sa chambre et dans votre maison, faites tomber sur moi la justice de l'État pour vous avoir ainsi abusé.

BRABANTIO, *à l'intérieur*. – Battez le briquet ! Holà ! donnez-moi un flambeau ! Appelez tous mes gens !... Cette aventure n'est pas en désaccord avec mon rêve ; la croyance à sa réalité m'oppresse déjà. De la lumière, dis-je, de la lumière ! *(Il se retire de la fenêtre.)*

IAGO, *à Roderigo*. – Adieu ! Il faut que je vous quitte. Il ne me paraît ni opportun ni sain, dans mon emploi, d'être assigné, comme je le serais en restant, pour déposer contre le More ; car, je le sais bien, quoique ceci puisse lui attirer quelque cuisante mercuriale, l'État ne peut pas se défaire de lui sans danger. Il est engagé, par des raisons si impérieuses, dans la guerre de Chypre qui se poursuit maintenant, que, s'agît-il du salut de leurs âmes, nos hommes d'État n'en trouveraient pas un autre à sa taille pour mener leurs affaires. En conséquence, bien que je le haïsse à l'égal des peines de l'enfer, je dois, pour les nécessités du moment, arborer les couleurs, l'enseigne de l'affection, pure enseigne, en effet !... Afin de le découvrir sûrement, dirigez les recherches vers le Sagittaire. Je serai là avec lui. Adieu donc ! *(Il s'en va.)*

Brabantio arrive, suivi de gens portant des torches.

BRABANTIO. – Le mal n'est que trop vrai : elle est partie ! Et ce qui me reste d'une vie méprisable n'est plus qu'amertume... Maintenant, Roderigo, où l'as-tu vue ?... Oh ! malheureuse fille ! Avec le More, dis-tu ?... Qui voudrait être père à présent ? Comment l'as-tu reconnue ?... Oh ! elle m'a trompé incroyablement !... Que t'a-t-elle dit, à toi ?... D'autres flambeaux ! Qu'on réveille tous mes parents !... Sont-ils mariés, crois-tu ?

RODERIGO. – Oui, sans doute, je le crois.

BRABANTIO. – Ciel ! comment a-t-elle échappé ? Ô trahison du sang ! Pères, à l'avenir, ne vous rassurez pas sur l'esprit de vos filles, d'après ce que vous leur verrez faire... N'y a-t-il pas des sortilèges au moyen desquels les facultés de la jeunesse et de la virginité peuvent être déçues ? N'as-tu pas lu, Roderigo, quelque chose comme cela ?

RODERIGO. – Oui, monsieur, certainement.

BRABANTIO. – Éveillez mon frère !... Que ne te l'ai-je donnée ! Que ceux-ci prennent une route, ceux-là, une autre ! *(A Roderigo.)* Savez-vous où nous pourrions les surprendre, elle et le More ?

RODERIGO. – Je crois que je puis le découvrir, si vous voulez prendre une bonne escorte et venir avec moi.

BRABANTIO. – De grâce, conduisez-nous ! Je vais frapper à toutes les maisons ; je puis faire sommation au besoin. *(A ses gens.)* Armez-vous, holà ! et appelez des officiers de nuit spéciaux ! En avant, mon bon Roderigo ! je vous dédommagerai de vos peines. *(Tous s'en vont.)*

SCÈNE II

Venise. – La place de l'Arsenal. Il fait toujours nuit.

Entrent IAGO, OTHELLO *et plusieurs domestiques.*

IAGO. – Bien que j'aie tué des hommes au métier de la guerre, je regarde comme l'étoffe même de la conscience de ne pas commettre de meurtre prémédité ; je ne sais pas être inique parfois pour me rendre service : neuf ou dix fois, j'ai été tenté de le trouer ici, sous les côtes.

OTHELLO. – Les choses sont mieux ainsi.

IAGO. – Non ! Mais il bavardait tant ; il parlait en termes si ignobles et si provocants contre Votre Honneur, qu'avec le peu de sainteté que vous me connaissez, j'ai eu grand-peine à le ménager. Mais, de grâce ! monsieur, êtes-vous solidement marié ? Soyez sûr que ce Magnifique est très aimé : il a, par l'influence, une voix aussi puissante que celle du doge. Il vous fera divorcer. Il vous opposera toutes les entraves, toutes les rigueurs pour lesquelles la loi, renforcée de tout son pouvoir, lui donnera de la corde.

OTHELLO. – Laissons-le faire selon son dépit. Les services que j'ai rendus à la Seigneurie parleront plus fort que ses plaintes. On ne sait pas tout encore : quand je verrai qu'il y a honneur à s'en vanter, je révélerai que je tiens la vie et l'être d'hommes assis sur un trône ; et mes mérites sauront, à défaut d'autres titres, répondre à la fortune hautaine que j'ai conquise. Sache-le bien, Iago, si je n'aimais pas la gentille Desdémona, je ne voudrais pas restreindre mon existence, libre sous le ciel, au cercle d'un intérieur, non ! pour tous les trésors de la mer. Mais vois donc ! quelles sont ces lumières là-bas ?

Cassio et plusieurs officiers portant des torches apparaissent à distance.

IAGO. - C'est le père et ses amis qu'on a mis sur pied. Vous feriez bien de rentrer.

OTHELLO. - Non pas ! il faut que l'on me trouve. Mon caractère, mon titre, ma conscience intègre, me montreront tel que je suis. Sont-ce bien eux ?

IAGO. - Par Janus ! je crois que non.

OTHELLO, *s'approchant des nouveaux venus.* - Les gens du doge et mon lieutenant ! Que la nuit vous soit bonne, més amis ! Quoi de nouveau ?

CASSIO. - Le doge vous salue, général, et réclame votre comparution immédiate.

OTHELLO. - De quoi s'agit-il, à votre idée ?

CASSIO. - Quelque nouvelle de Chypre, je suppose. C'est une affaire qui presse. Les galères ont expédié une douzaine de messagers qui ont couru toute la nuit, les uns après les autres. Déjà beaucoup de nos consuls se sont levés et réunis chez le doge. On vous a demandé ardemment ; et, comme on ne vous a pas trouvé à votre logis, le Sénat a envoyé trois escouades différentes à votre recherche.

OTHELLO. - Il est heureux que j'aie été trouvé par vous. Je n'ai qu'un mot à dire ici, dans la maison. *(Il montre le Sagittaire.)* Et je pars avec vous. *(Il s'éloigne et disparaît.)*

CASSIO. - Enseigne, que fait-il donc là ?

IAGO. - Sur ma foi ! il a pris à l'abordage un galion de terre ferme. Si la prise est déclarée légale, sa fortune est faite à jamais.

CASSIO. - Je ne comprends pas.

IAGO. - Il est marié.

CASSIO. - A qui donc ?

IAGO. - Marié à... *(Othello revient.)* Allons ! général, voulez-vous venir ?

OTHELLO. - Je suis à vous.

CASSIO. - Voici une autre troupe qui vient vous chercher.

Entrent Brabantio, Roderigo et des officiers de nuit, armés et portant des torches.

IAGO. - C'est Brabantio ! Général, prenez garde. Il vient avec de mauvaises intentions.

OTHELLO. - Holà ! arrêtez.

RODERIGO, *à Brabantio*. – Seigneur, voici le More.

BRABANTIO, *désignant Othello*. – Sus au voleur ! *(Ils dégainent des deux côtés.)*

IAGO. – C'est vous, Roderigo ? Allons, monsieur, à nous deux !

OTHELLO. – Rentrez ces épées qui brillent : la rosée pourrait les rouiller. *(A Brabantio.)* Bon signor, vous aurez plus de pouvoir avec vos années qu'avec vos armes.

BRABANTIO. – Ô toi ! hideux voleur, où as-tu recelé ma fille ? Damné que tu es, tu l'as enchantée !... En effet, je m'en rapporte à tout être de sens : si elle n'était pas tenue à la chaîne de la magie, est-ce qu'une fille si tendre, si belle, si heureuse, si opposée au mariage qu'elle repoussait les galants les plus somptueux et les mieux frisés du pays, aurait jamais, au risque de la risée générale, couru de la tutelle de son père au sein noir de suie d'un être comme toi, fait pour effrayer et non pour plaire ? Je prends tout le monde pour juge. Ne tombe-t-il pas sous le sens que tu as pratiqué sur elle tes charmes hideux et abusé sa tendre jeunesse avec des drogues ou des minéraux qui éveillent le désir ? Je ferai examiner ça. La chose est probable et palpable à la réflexion. En conséquence, je t'appréhende et je t'empoigne comme un suborneur du monde, comme un adepte des arts prohibés et hors la loi. *(A ses gardes.)* Emparez-vous de lui ; s'il résiste, maîtrisez-le à ses risques et périls.

OTHELLO. – Retenez vos bras, vous, mes partisans, et vous, les autres ! Si ma réplique devait être à coups d'épée, je me la serais rappelée sans souffleur. *(A Brabantio.)* Où voulez-vous que j'aille pour répondre à votre accusation ?

BRABANTIO. – En prison ! jusqu'à l'heure rigoureuse où la loi, dans le cours de sa session régulière, t'appellera à répondre.

OTHELLO. – Et, si je vous obéis, comment pourrai-je satisfaire le doge, dont les messagers, ici rangés à mes côtés, doivent, pour quelque affaire d'État pressante, me conduire jusqu'à lui ?

UN OFFICIER, *à Brabantio*. – C'est vrai, très digne signor, le doge est en conseil ; et Votre Excellence elle-même a été convoquée, j'en suis sûr.

BRABANTIO. – Comment ! le doge en conseil ! à cette heure de la nuit !... Emmenez-le. Ma cause n'est point frivole : le doge lui-même et tous mes frères du Sénat ne peuvent prendre ceci que comme un affront personnel. Car, si de telles actions peuvent avoir un libre cours, des serfs et des païens seront bientôt nos gouvernants ! *(Ils s'en vont.)*

Venise. – La salle du conseil.

LE DOGE *et* LES SÉNATEURS *sont assis autour d'une table. Au fond se tiennent les officiers de service.*

LE DOGE. – Il n'y a pas dans ces nouvelles assez d'harmonie pour y croire.

PREMIER SÉNATEUR. – En effet, elles sont en contradiction. Mes lettres disent cent sept galères.

LE DOGE. – Et les miennes, cent quarante.

DEUXIÈME SÉNATEUR. – Et les miennes, deux cents. Bien qu'elles ne s'accordent pas sur le chiffre exact (vous savez que les rapports fondés sur des conjectures ont souvent des variantes), elles confirment toutes le fait d'une flotte turque se portant sur Chypre.

LE DOGE. – Oui ! Cela suffit pour former notre jugement. Je ne me laisse pas rassurer par les contradictions, et je vois le fait principal prouvé d'une terrible manière.

UN MATELOT, *au-dehors.* – Holà ! holà ! holà !

Entre un officier suivi d'un matelot.

L'OFFICIER. – Un messager des galères !

LE DOGE. – Eh bien ! qu'y a-t-il ?

LE MATELOT. – L'expédition turque appareille pour Rhodes. C'est ce que je suis chargé d'annoncer au gouvernement par le seigneur Angelo.

LE DOGE, *aux sénateurs.* – Que dites-vous de ce changement ?

PREMIER SÉNATEUR. – Il n'a pas de motif raisonnable. C'est une feinte pour détourner notre attention. Considérons la valeur de Chypre pour le Turc ; comprenons seulement que cette île est pour le Turc plus importante que Rhodes, et qu'elle lui est en même temps plus facile à emporter, puisqu'elle n'a ni l'enceinte militaire ni aucun des moyens de défense dont Rhodes est investie ; songeons à cela, et nous ne pourrons pas croire que le Turc fasse la faute de renoncer à la conquête qui l'intéresse le plus et de négliger une attaque d'un succès facile, pour provoquer et risquer un danger sans profit.

LE DOGE. – Non, à coup sûr, ce n'est pas à Rhodes qu'il en veut.

UN OFFICIER. – Voici d'autres nouvelles.

Entre un messager.

LE MESSAGER. – Révérends et gracieux seigneurs, les Ottomans, après avoir gouverné tout droit sur l'île de Rhodes, ont été ralliés là par une flotte de réserve.

PREMIER SÉNATEUR. – C'est ce que je pensais... Combien de bâtiments, à votre calcul ?

LE MESSAGER. – Trente voiles. Maintenant ils reviennent sur leur route et dirigent franchement leur expédition sur Chypre... Le seigneur Montano, votre fidèle et très vaillant serviteur, prend la respectueuse liberté de vous en donner avis, et vous prie de le croire.

LE DOGE. – Il est donc certain que c'est contre Chypre ! Est-ce que Marcus Luccicos n'est pas à la ville ?

PREMIER SÉNATEUR. – Il est maintenant à Florence.

LE DOGE. – Écrivez-lui de notre part de revenir au train de poste.

PREMIER SÉNATEUR. – Voici venir Brabantio et le vaillant More.

Entrent Brabantio, Othello, Iago, Roderigo et des officiers.

LE DOGE. – Vaillant Othello, nous avons à vous employer sur-le-champ contre l'ennemi commun, l'Ottoman. *(A Brabantio.)* Je ne vous voyais pas : soyez le bienvenu, noble seigneur ! Vos conseils et votre aide nous ont manqué cette nuit.

BRABANTIO. – Et à moi les vôtres. Que Votre Grâce me pardonne ! Ce ne sont ni mes fonctions ni les nouvelles publiques qui m'ont tiré de mon lit. L'intérêt général n'a pas de prise sur moi en ce moment : car la douleur privée ouvre en moi ses écluses avec tant de violence qu'elle engloutit et submerge les autres soucis dans son invariable plénitude.

LE DOGE. – De quoi s'agit-il donc ?

BRABANTIO. – Ma fille ! ô ma fille !

LE DOGE ET LES SÉNATEURS. – Morte ?

BRABANTIO. – Oui, morte pour moi. On l'a abusée ! on me l'a volée ! on l'a corrompue à l'aide de talismans et d'élixirs achetés à des charlatans. Car, qu'une nature s'égare si absurdement, n'étant ni défectueuse, ni aveugle, ni boiteuse d'intelligence, ce n'est pas possible sans sorcellerie.

LE DOGE. – Quel que soit celui qui, par d'odieux procédés, a ainsi ravi votre fille à elle-même et à vous, voici le livre sanglant de la loi. Vous en lirez vous-même la lettre rigoureuse, et vous l'interpréterez à votre guise : oui, quand mon propre fils serait accusé par vous !

BRABANTIO. – Je remercie humblement Votre Grâce. Voici l'homme ; c'est ce More que, paraît-il, votre mandat spécial a, pour des affaires d'État, appelé ici.

LE DOGE ET LES SÉNATEURS. – Lui !... Nous en sommes déso-
lés.

LE DOGE, à *Othello*. – Qu'avez-vous, de votre côté, à répondre
à cela ?

BRABANTIO. – Rien, sinon que cela est.

OTHELLO. – Très puissants, très graves et très révérends seigneurs, mes nobles et bien-aimés maîtres, j'ai enlevé la fille de
ce vieillard, c'est vrai, comme il est vrai que je l'ai épousée. Voilà
le chef de mon crime ; vous le voyez de front, dans toute sa
grandeur. Je suis rude en mon langage, et peu doué de l'élo-
quence apprêtée de la paix. Car, depuis que ces bras ont leur
moelle de sept ans, ils n'ont cessé, excepté depuis ces neuf mois
d'inaction, d'employer dans le camp leur plus précieuse activité ;
et je sais peu de chose de ce vaste monde qui n'ait rapport aux
faits de guerre et de bataille. Aussi embellirai-je peu ma cause
en la plaidant moi-même. Pourtant, avec votre gracieuse auto-
risation, je vous dirai sans façon et sans fard l'histoire entière
de mon amour, et par quels philtres, par quels charmes, par
quelles conjurations, par quelle puissante magie (car ce sont les
moyens dont on m'accuse) j'ai séduit sa fille.

BRABANTIO. – Une enfant toujours si modeste ! d'une nature
si douce et si paisible qu'au moindre mouvement elle rougissait
d'elle-même ! devenir, en dépit de la nature, de son âge, de son
pays, de sa réputation, de tout, amoureuse de ce qu'elle avait
peur de regarder ! Il n'y a qu'un jugement difforme et très impar-
fait pour déclarer que la perfection peut faillir ainsi contre toutes
les lois de la nature ; il faut forcément conclure à l'emploi des
maléfices infernaux pour expliquer cela. J'affirme donc, encore
une fois, que c'est à l'aide de mixtures toutes-puissantes sur le
sang ou de quelque philtre enchanté à cet effet qu'il a agi sur
elle.

LE DOGE. – Affirmer cela n'est pas le prouver. Des témoigna-
ges plus certains et plus évidents que ces maigres apparences et
que ces pauvres vraisemblances d'une probabilité médiocre doivent être produits contre lui.

PREMIER SÉNATEUR. – Mais parlez, Othello. Est-ce par des
moyens équivoques et violents que vous avez dominé et empoi-
sonné les affections de cette jeune fille ? ou bien n'avez-vous
réussi que par la persuasion et par ces loyales requêtes qu'une
âme soumet à une âme ?

OTHELLO. – Je vous en conjure, envoyez chercher la dame au
Sagittaire, et faites-la parler de moi devant son père. Si vous me
trouvez coupable dans son récit, que non seulement votre
confiance et la charge que je tiens de vous me soient retirées,
mais que votre sentence retombe sur ma vie même !

LE DOGE. – Qu'on envoie chercher Desdémona !

OTHELLO, *à Iago.* – Enseigne, conduisez-les : vous connaissez le mieux l'endroit. *(Iago et quelques officiers sortent.)* En attendant qu'elle vienne, je vais, aussi franchement que je confesse au ciel les faiblesses de mon sang, expliquer nettement à votre grave auditoire comment j'ai obtenu l'amour de cette belle personne, et comment elle, le mien.

LE DOGE. – Parlez, Othello.

OTHELLO. – Son père m'aimait ; il m'invitait souvent ; il me demandait l'histoire de ma vie, année par année, les batailles, les sièges, les hasards que j'avais traversés. Je parcourus tout, depuis les jours de mon enfance jusqu'au moment même où il m'avait prié de raconter. Alors je parlai de chances désastreuses, d'aventures émouvantes sur terre et sur mer, de morts esquivées d'un cheveu sur la brèche menaçante, de ma capture par l'insolent ennemi, de ma vente comme esclave, de mon rachat et de ce qui suivit. Dans l'histoire de mes voyages, des antres profonds, des déserts arides, d'âpres fondrières, des rocs et des montagnes dont la cime touche le ciel s'offraient à mon récit : je les y plaçai. Je parlai des cannibales qui s'entre-dévorent, des anthropophages et des hommes qui ont la tête au-dessous des épaules. Pour écouter ces choses, Desdémona montrait une curiosité sérieuse ; quand les affaires de la maison l'appelaient ailleurs, elle les dépêchait toujours au plus vite, et revenait, et de son oreille affamée elle dévorait mes paroles. Ayant remarqué cela, je saisis une heure favorable, et je trouvai moyen d'arracher du fond de son cœur le souhait que je lui fisse la narration entière de mes explorations, qu'elle ne connaissait que par des fragments sans suite. J'y consentis, et souvent je lui dérobai des larmes, quand je parlai de quelque catastrophe qui avait frappé ma jeunesse. Mon histoire terminée, elle me donna pour ma peine un monde de soupirs ; elle jura qu'en vérité cela était étrange, plus qu'étrange, attendrissant, prodigieusement attendrissant ; elle eût voulu ne pas l'avoir entendu, mais elle eût voulu aussi que le ciel eût fait pour elle un pareil homme ! Elle me remercia, et me dit que, si j'avais un ami qui l'aimait, je lui apprisse seulement à répéter mon histoire, et que cela suffirait à la charmer. Sur cette insinuation, je parlai : elle m'aimait pour les dangers que j'avais traversés, et je l'aimais pour la sympathie qu'elle y avait prise. Telle est la sorcellerie dont j'ai usé... Mais voici ma dame qui vient ; qu'elle-même en dépose !

Entrent Desdémona, Iago et les officiers de l'escorte.

LE DOGE. – Il me semble qu'une telle histoire séduirait ma fille même. Bon Brabantio, réparez aussi bien que possible cet éclat. Il vaut encore mieux se servir d'une arme brisée que de rester les mains nues.

BRABANTIO. – De grâce, écoutez-la ! Si elle confesse qu'elle a fait la moitié des avances, que la ruine soit sur ma tête si mon injuste blâme tombe sur cet homme !... Approchez, gentille donzelle ! Distinguez-vous dans cette noble compagnie celui à qui vous devez le plus d'obéissance ?

DESDÉMONA. – Mon noble père, je vois ici un double devoir pour moi. A vous je dois la vie et l'éducation, et ma vie et mon éducation m'apprennent également à vous respecter. Vous êtes mon seigneur selon le devoir... Jusque-là je suis votre fille. *(Montrant Othello.)* Mais voici mon mari ! Et autant ma mère montra de dévouement pour vous, en vous préférant à son père même, autant je prétends en témoigner légitimement au More, mon seigneur.

BRABANTIO. – Dieu soit avec vous ! J'ai fini. *(Au doge.)* Plaise à Votre Grâce de passer aux affaires d'État !... Que n'ai-je adopté un enfant plutôt que d'en faire un ! *(A Othello.)* Approche, More. Je te donne de tout mon cœur ce que je t'aurais, si tu ne le possédais déjà, refusé de tout mon cœur. *(A Desdémona.)* Grâce à toi, mon bijou, je suis heureux dans l'âme de n'avoir pas d'autres enfants ; car ton escapade m'eût appris à les tyranniser et à les tenir à l'attache... J'ai fini, monseigneur.

LE DOGE. – Laissez-moi parler à votre place, et placer une maxime qui serve à ces amants de degré, de marchepied pour remonter à votre faveur. Une fois irrémédiables, les maux sont terminés par la vue du pire qui put nous inquiéter naguère. Gémir sur un malheur passé et disparu est le plus sûr moyen d'attirer un nouveau malheur. Lorsque la fortune nous prend ce que nous ne pouvons garder, la patience rend son injure dérisoire. Le volé qui sourit dérobe quelque chose au voleur. C'est se voler soi-même que dépenser une douleur inutile.

BRABANTIO. – Ainsi, que le Turc nous vole Chypre ! nous n'aurons rien perdu, tant que nous pourrons sourire ! Il reçoit bien les conseils, celui qui ne reçoit en les écoutant qu'un soulagement superflu. Mais celui-là reçoit une peine en même temps qu'un conseil, qui n'est quitte avec le chagrin qu'en empruntant à la pauvre patience. Ces sentences, tout sucre ou tout fiel, ont une puissance fort équivoque. Les mots ne sont que des mots, et je n'ai jamais ouï dire que dans un cœur meurtri on pénétrât par l'oreille... Je vous en prie humblement, procédons aux affaires de l'État.

LE DOGE. – Le Turc se porte sur Chypre avec un armement considérable. Othello, les ressources de cette place sont connues de vous mieux que de personne. Aussi, quoique nous ayons là un lieutenant d'une capacité bien prouvée, l'opinion, cette arbitre souveraine des décisions, vous adresse son appel de suprême confiance. Il faut donc que vous vous résigniez à assombrir l'éclat de votre nouvelle fortune par les orages de cette rude expédition.

OTHELLO. – Très graves sénateurs, ce tyran, l'habitude, a fait de la couche de la guerre, couche de pierre et d'acier, le lit de plume le plus doux pour moi. Je le déclare, je ne trouve mon activité, mon énergie naturelle, que dans une vie dure. Je me charge de cette guerre contre les Ottomans. En conséquence, humblement incliné devant votre gouvernement, je demande pour ma femme une situation convenable, les privilèges et le traitement dus à son rang, avec une résidence et un train en rapport avec sa naissance.

LE DOGE. – Si cela vous plaît, elle peut aller chez son père.

BRABANTIO. – Je n'y consens pas.

OTHELLO. – Ni moi.

DESDÉMONA. – Ni moi. Je n'y voudrais pas résider, de peur de provoquer l'impatience de mon père en restant sous ses yeux. Très gracieux doge, prêtez à mes explications une oreille indulgente, et laissez-moi trouver dans votre suffrage une charte qui protège ma faiblesse.

LE DOGE. – Que désirez-vous, Desdémona ?

DESDÉMONA. – Si j'ai aimé le More assez pour vivre avec lui, ma révolte éclatante et mes violences à la destinée peuvent le trompeter au monde. Mon cœur est soumis au caractère même de mon mari. C'est dans le génie d'Othello que j'ai vu son visage ; et c'est à sa gloire et à ses vaillantes qualités que j'ai consacré mon âme et ma fortune. Aussi, chers seigneurs, si l'on me laissait ici, chrysalide de la paix, tandis qu'il part pour la guerre, on m'enlèverait les épreuves pour lesquelles je l'aime, et je subirais un trop lourd intérim par sa chère absence. Laissez-moi partir avec lui !

OTHELLO. – Vos voix, seigneurs ! je vous en conjure, laissez à sa volonté le champ libre. Si je vous le demande, ce n'est pas pour flatter le goût de ma passion ni pour assouvir l'ardeur de nos jeunes amours dans ma satisfaction personnelle, mais bien pour déférer généreusement à son vœu. Que le ciel défende vos bonnes âmes de cette pensée que je négligerai vos sérieuses et grandes affaires quand elle sera près de moi ! Si jamais, dans ses jeux volages, Cupidon ailé émoussait par une voluptueuse langueur mes facultés spéculatives et actives, si jamais les plaisirs corrompaient et altéraient mes devoirs, que les ménagères fassent un chaudron de mon casque, et que tous les outrages et tous les affronts conjurés s'attaquent à mon renom !

LE DOGE. – Décidez entre vous si elle doit partir ou rester. L'affaire crie : hâtez-vous ! Votre promptitude doit y répondre. Il faut que vous soyez en route cette nuit.

DESDÉMONA. – Cette nuit, monseigneur ?

LE DOGE. – Cette nuit même.

OTHELLO. – De tout mon cœur.

LE DOGE, *aux sénateurs*. – A neuf heures du matin, nous nous retrouverons ici. Othello, laissez derrière vous un officier : il vous portera notre brevet et toutes les concessions de titres et d'honneurs qui vous importent.

OTHELLO. – S'il plaît à Votre Grâce, ce sera mon enseigne, un homme de probité et de confiance. C'est lui que je charge d'escorter ma femme et de me remettre tout ce que votre gracieuse Seigneurie jugera nécessaire de m'envoyer.

LE DOGE. – Soit !... Bonne nuit à tous ! *(A Brabantio.)* Eh ! noble signor, s'il est vrai que la vertu a tout l'éclat de la beauté, vous avez un gendre plus brillant qu'il n'est noir.

PREMIER SÉNATEUR. – Adieu, brave More ! Rendez heureuse Desdémona.

BRABANTIO. – Veille sur elle, More. Aie l'œil prompt à tout voir. Elle a trompé son père ; elle pourrait bien te tromper. *(Le doge, les sénateurs et les officiers sortent.)*

OTHELLO. – Ma vie, sur sa foi !... Honnête Iago, il faut que je te laisse ma Desdémona ; mets, je te prie, ta femme à son service, et amène-les au premier moment favorable... Viens, Desdémona, je n'ai qu'une heure d'amour, de loisirs et de soins intérieurs à passer avec toi. Nous devons obéir au temps. *(Othello et Desdémona sortent.)*

RODERIGO. – Iago !

IAGO. – Que dis-tu, noble cœur ?

RODERIGO. – Que crois-tu que je vais faire ?

IAGO. – Pardieu ! te coucher et dormir.

RODERIGO. – Je vais incontinent me noyer.

IAGO. – Si tu le fais, je ne t'aimerai plus après. Niais que tu es !

RODERIGO. – La niaiserie est de vivre quand la vie est un tourment. Nous avons pour prescription de mourir quand la mort est notre médecin.

IAGO. – Oh ! le lâche !... Voilà quatre fois sept ans que je considère le monde ; et, depuis que je peux distinguer un bienfait d'une injure, je n'ai jamais trouvé un homme qui sût s'aimer. Avant de pouvoir dire que je vais me noyer pour l'amour de quelque guenon, je consens à être changé en babouin.

RODERIGO. – Que faire ? J'avoue ma honte d'être ainsi épris ; mais il ne dépend pas de ma vertu d'y remédier.

IAGO. – Ta vertu pour une figue ! Il dépend de nous-mêmes d'être d'une façon ou d'une autre. Notre corps est notre jardin, et notre volonté en est le jardinier. Voulons-nous y cultiver des orties ou y semer la laitue, y planter l'hysope et en sarcler le thym, le garnir d'une seule espèce d'herbe ou d'un choix varié, le stériliser par la paresse ou l'engraisser par l'industrie ? eh bien ! le pouvoir de tout modifier souverainement est dans notre volonté. Si la balance de la vie n'avait pas le plateau de la raison pour contrepoids à celui de la sensualité, notre tempérament et la bassesse de nos instincts nous conduiraient aux plus fâcheuses conséquences. Mais nous avons la raison pour refroidir nos passions furieuses, nos élans charnels, nos désirs effrénés. D'où je conclus que ce que vous appelez l'amour n'est qu'une végétation greffée ou parasite.

RODERIGO. – Impossible !

IAGO. – L'amour n'est qu'une débauche du sang et une concession de la volonté... Allons ! sois un homme. Te noyer, toi ! On noie les chats et leur portée aveugle. J'ai fait profession d'être ton ami et je m'avoue attaché à ton service par des câbles d'une ténacité durable. Or, je ne pourrai jamais t'assister plus utilement qu'à présent... Mets de l'argent dans ta bourse, suis l'expédition, altère ta physionomie par une barbe usurpée... Je le répète, mets de l'argent dans ta bourse... Il est impossible que Desdémona conserve longtemps son amour pour le More... Mets de l'argent dans ta bourse... et le More son amour pour elle. Le début a été violent, la séparation sera à l'avenant, tu verras !... Surtout mets de l'argent dans ta bourse... Ces Mores ont la volonté changeante... Remplis bien ta bourse... La nourriture, qui maintenant est pour lui aussi savoureuse qu'une grappe d'acacia, lui sera bientôt aussi amère que la coloquinte. Quant à elle, si jeune, il faut bien qu'elle change. Dès qu'elle se sera rassasiée de ce corps-là, elle reconnaîtra l'erreur de son choix. Il faut bien qu'elle change, il le faut !... Par conséquent, mets de l'argent dans ta bourse. Si tu dois absolument te damner, trouve un moyen plus délicat que de te noyer... Réunis tout l'argent que tu pourras... Si la sainteté d'un serment fragile échangé entre un aventurier barbare et une rusée Vénitienne n'est pas chose trop dure pour mon génie et pour toute la tribu de l'enfer, tu jouiras de cette femme. Aussi, trouve de l'argent !... Peste soit de la noyade ! Elle est bien loin de ton chemin. Cherche plutôt à te faire pendre après ta jouissance obtenue qu'à aller te noyer avant.

RODERIGO. – Te dévoueras-tu à mes espérances, si je me rattache à cette solution ?

IAGO. – Tu es sûr de moi. Va ! trouve de l'argent. Je te l'ai dit souvent et je te le redis : je hais le More. Mes griefs m'emplissent le cœur ; tes raisons ne sont pas moindres. Liguons-nous pour nous venger de lui. Si tu peux le faire cocu, tu te donneras un plaisir, et à moi une récréation. Il y a dans la matrice du temps bien des événements dont il va accoucher. En campagne ! Va ! munis-toi d'argent. Demain nous reparlerons de ceci. Adieu !

RODERIGO. – Où nous reverrons-nous dans la matinée ?

IAGO. – A mon logis.

RODERIGO. – Je serai chez toi de bonne heure.

IAGO. – Bon ! Adieu ! M'entendez-vous bien, Roderigo ?

RODERIGO. – Que dites-vous ?

IAGO. – Plus de noyade ! Entendez-vous ?

RODERIGO. – Je suis changé. Je vais vendre toutes mes terres.

IAGO. – Bon ! Adieu ! Remplissez bien votre bourse. *(Roderigo sort.)* Voilà comment je fais toujours ma bourse de ma dupe. Car ce serait profaner le trésor de mon expérience que de dépenser mon temps avec une pareille bécasse sans en retirer plaisir et profit. Je hais le More. On croit de par le monde qu'il a, entre mes draps, rempli mon office d'époux. J'ignore si c'est vrai ; mais, moi, sur un simple soupçon de ce genre, j'agirai comme sur la certitude. Il fait cas de moi. Je n'en agirai que mieux sur lui pour ce que je veux... Cassio est un homme convenable... Voyons maintenant... Obtenir sa place et donner pleine envergure à ma vengeance : coup double ! Comment ? comment ? Voyons... Au bout de quelque temps, faire croire à Othello que Cassio est trop familier avec sa femme. Cassio a une personne, des manières caressantes, qui prêtent au soupçon ; il est bâti pour rendre les femmes infidèles. Le More est une nature franche et ouverte qui croit honnêtes les gens, pour peu qu'ils le paraissent : il se laissera mener par le nez aussi docilement qu'un âne. Je tiens le plan : il est conçu. Il faut que l'enfer et la nuit produisent à la lumière du monde ce monstrueux embryon ! *(Il sort.)*

ACTE II

SCÈNE PREMIÈRE

Chypre. – Près de la plage.

Arrivent MONTANO *et* DEUX GENTILSHOMMES.

MONTANO. – Que pouvons-nous distinguer en mer du haut du cap ?

PREMIER GENTILHOMME. – Rien du tout, tant les vagues sont élevées ! Entre le ciel et la pleine mer, je ne puis découvrir une voile.

MONTANO. – Il me semble que le vent a parlé bien haut à terre ; jamais plus rudes rafales n'ont ébranlé nos créneaux. S'il a fait autant de vacarme sur mer, quelles sont les côtes de chêne qui, sous ces montagnes en fusion, auront pu garder la mortaise ? Qu'allons-nous apprendre à la suite de ceci ?

DEUXIÈME GENTILHOMME. – La dispersion de la flotte turque. Pour peu qu'on se tienne sur la plage écumante, les flots irrités semblent lapider les nuages ; la lame, secouant au vent sa haute et monstrueuse crinière, semble lancer l'eau sur l'ourse flamboyante et inonder les satellites du pôle immuable. Je n'ai jamais vu pareille agitation sur la vague enragée.

MONTANO. – Si la flotte turque n'était pas réfugiée dans quelque baie, elle a sombré. Il lui est impossible d'y tenir.

Arrive un troisième gentilhomme.

TROISIÈME GENTILHOMME. – Des nouvelles, mes enfants ! Nos guerres sont finies ! Cette désespérée tempête a si bien étrillé les Turcs que leurs projets sont éclopés. Un noble navire, venu de Venise, a vu le sinistre naufrage et la détresse de presque toute leur flotte.

MONTANO. – Quoi ! vraiment ?

TROISIÈME GENTILHOMME. – Le navire est ici mouillé, un bâtiment véronais. Michel Cassio, lieutenant du belliqueux More Othello, a débarqué ; le More lui-même est en mer et vient à Chypre avec des pleins pouvoirs.

MONTANO. – J'en suis content : c'est un digne gouverneur.

TROISIÈME GENTILHOMME. – Mais ce même Cassio, tout en parlant avec satisfaction du désastre des Turcs, paraît fort triste, et prie pour le salut du More : car ils ont été séparés au plus fort de cette sombre tempête.

MONTANO. – Fasse le ciel qu'il soit sauvé ! J'ai servi sous lui, et l'homme commande en parfait soldat... Eh bien ! allons sur le rivage. Nous verrons le vaisseau qui vient d'atterrir, et nous chercherons des yeux le brave Othello jusqu'au point où la mer et l'azur aérien sont indistincts à nos regards.

TROISIÈME GENTILHOMME. – Oui, allons ! Car chaque minute peut nous amener un nouvel arrivage.

Arrive Cassio.

CASSIO, *à Montano*. – Merci à vous, vaillant de cette île guerrière, qui appréciez si bien le More ! Oh ! puissent les cieux le défendre contre les éléments, car je l'ai perdu sur une dangereuse mer !

MONTANO. – Est-il sur un bon navire ?

CASSIO. – Son bâtiment est fortement charpenté, et le pilote a la réputation d'une expérience consommée. Aussi mon espoir, loin d'être ivre mort, est-il raffermi par une saine confiance.

VOIX AU-DEHORS. – Une voile ! une voile ! une voile !

Arrive un autre gentilhomme.

CASSIO. – Quel est ce bruit ?

QUATRIÈME GENTILHOMME. – La ville est déserte. Sur le front de la mer se pressent un tas de gens qui crient : une voile !

CASSIO. – Mes pressentiments me désignent là le gouverneur. *(On entend le canon.)*

DEUXIÈME GENTILHOMME. – Ils tirent la salve de courtoisie : ce sont des amis, en tout cas.

CASSIO, *au deuxième gentilhomme*. – Je vous en prie, monsieur, partez et revenez nous dire au juste qui vient d'arriver.

DEUXIÈME GENTILHOMME. – J'y vais. *(Il sort.)*

MONTANO, *à Cassio*. – Ah çà ! bon lieutenant, votre général est-il marié ?

CASSIO. – Oui, et très heureusement : il a conquis une fille qui égale les descriptions de la renommée en délire ; une fille qui échappe au trait des plumes pittoresques, et qui, dans l'étoffe essentielle de sa nature, porte toutes les perfections...

Le deuxième gentilhomme rentre.

Eh bien ! qui vient d'atterrir ?

DEUXIÈME GENTILHOMME. – C'est un certain Iago, enseigne du général.

CASSIO. – Il a eu la plus favorable et la plus heureuse traversée. Les tempêtes elles-mêmes, les hautes lames, les vents hurleurs, les rocs hérissés, les bancs de sable, ces traîtres embusqués pour arrêter la quille inoffensive, ont, comme s'ils avaient le sentiment de la beauté, oublié leurs instincts destructeurs et laissé passer saine et sauve la divine Desdémona.

MONTANO. – Quelle est cette femme ?

CASSIO. – C'est celle dont je parlais, le capitaine de notre grand capitaine ! celle qui, confiée aux soins du hardi Iago, vient, en mettant pied à terre, de devancer notre pensée par une traversée de sept jours... Grand Jupiter ! protège Othello, et enfle sa voile de ton souffle puissant : puisse-t-il vite réjouir cette baie de son beau navire, revenir tout palpitant d'amour dans les bras de Desdémona, et, rallumant la flamme dans nos esprits éteints, rassurer Chypre tout entière !... Oh ! regardez !

Entrent Desdémona, Émilia, Iago, Roderigo et leur suite.

Le trésor du navire est arrivé au rivage ! Vous, hommes de Chypre, à genoux devant elle ! Salut à toi, notre dame ! Que la grâce du ciel soit devant et derrière toi et à tes côtés, et rayonne autour de toi !

DESDÉMONA. – Merci, vaillant Cassio ! Quelles nouvelles pouvez-vous me donner de monseigneur ?

CASSIO. – Il n'est pas encore arrivé. Tout ce que je sais, c'est qu'il va bien et sera bientôt ici.

DESDÉMONA. – Oh ! j'ai peur pourtant... Comment vous êtes-vous perdus de vue ?

CASSIO. – Les efforts violents de la mer et du ciel nous ont séparés... Mais écoutez ! *(Cris, au loin.)* Une voile ! une voile ! *(On entend le canon.)*

DEUXIÈME GENTILHOMME. – Ils font leur salut à la citadelle : c'est encore un navire ami.

CASSIO, *au deuxième gentilhomme.* – Allez aux nouvelles. *(Le gentilhomme sort. A Iago.)* Brave enseigne, vous êtes le bienvenu ! *(A Émilia.)* La bienvenue, dame !... Que votre patience, bon Iago, ne se blesse pas de la liberté de mes manières ! c'est mon éducation qui me donne cette familiarité de courtoisie. *(Il embrasse Émilia.)*

IAGO. – Monsieur, si elle était pour vous aussi généreuse de ses lèvres qu'elle est pour moi prodigue de sa langue, vous en auriez bien vite assez.

DESDÉMONA. – Hélas ! elle ne parle pas !

IAGO. – Beaucoup trop, ma foi ! Je m'en aperçois toujours

quand j'ai envie de dormir. Dame, j'avoue que devant Votre Grâce elle renfonce un peu sa langue dans son cœur et ne grogne qu'en pensée.

ÉMILIA. – Vous n'avez guère motif de parler ainsi.

IAGO. – Allez ! allez ! vous autres femmes, vous êtes des peintures hors de chez vous, des sonnettes dans vos boudoirs, des chats sauvages dans vos cuisines, des saintes quand vous injuriez, des démons quand on vous offense, des flâneuses dans vos ménages, des femmes de ménage dans vos lits.

DESDÉMONA. – Oh, fi ! calomniateur !

IAGO. – Je suis Turc, si cela n'est pas vrai ! Vous vous levez pour flâner, et vous vous mettez au lit pour travailler.

ÉMILIA. – Je ne vous chargerai pas d'écrire mon éloge.

IAGO. – Certes, vous ferez bien.

DESDÉMONA. – Qu'écrirais-tu de moi si tu avais à me louer ?

IAGO. – Ah ! noble dame, ne m'en chargez pas. Je ne suis qu'un critique.

DESDÉMONA. – Allons ! essaye... On est allé au port, n'est-ce pas ?

IAGO. – Oui, madame.

DESDÉMONA. – Je suis loin d'être gaie ; mais je trompe ce que je suis, en affectant d'être le contraire. Voyons ! que dirais-tu à mon éloge ?

IAGO. – Je cherche ; mais, en vérité, mon idée tient à ma caboche, comme la glu à la frisure ; elle arrache la cervelle et le reste. Enfin, ma muse est en travail, et voici ce dont elle accouche :

Si une femme a le teint et l'esprit clairs,
Elle montre son esprit en faisant montre de son teint.

DESDÉMONA. – Bien loué ! Et si elle est noire et spirituelle ?

IAGO.

Si elle est noire et qu'elle ait de l'esprit,
Elle trouvera certain blanc qui ira bien à sa noirceur.

DESDÉMONA. – De pire en pire !

ÉMILIA. – Et si la belle est bête ?

IAGO.

Celle qui est belle n'est jamais bête :
Car elle a toujours assez d'esprit pour avoir un héritier.

DESDÉMONA – Ce sont de vieux paradoxes absurdes pour faire rire les sots dans un cabaret. Quel misérable éloge as-tu pour celle qui est laide et bête ?

IAGO.

Il n'est de laide si bête
Qui ne fasse d'aussi vilaines farces qu'une belle d'esprit.

DESDÉMONA. – Oh ! la lourde bévue ! La pire est celle que tu vantes le mieux ! Mais quel éloge accorderas-tu donc à une femme réellement méritante, à une femme qui, en attestation de sa vertu, peut à juste titre invoquer le témoignage de la malveillance elle-même ?

IAGO.

Celle qui, toujours jolie, ne fut jamais coquette,
Qui, ayant la parole libre, n'a jamais eu le verbe haut,
Qui, ayant toujours de l'or, ne s'est jamais montrée fastueuse,
Celle qui s'est détournée d'un désir en disant : « Je pourrais
[bien ! »
Qui, étant en colère et tenant sa vengeance,
A gardé son offense et chassé son déplaisir,
Celle qui ne fut jamais assez frêle en sagesse
Pour échanger une tête de morue contre une queue de saumon,
Celle qui a pu penser et n'a pas révélé son idée,
Qui s'est vu suivre par des galants et n'a pas tourné la tête,
Cette créature-là est bonne, s'il y eut jamais créature pareille...

DESDÉMONA. – A quoi ?

IAGO.

A faire téter des niais et à tenir un compte de petite bière.

DESDÉMONA. – Oh ! quelle conclusion boiteuse et impotente !... Ne prends pas leçon de lui, Émilia, tout ton mari qu'il est... Que dites-vous, Cassio ? Voilà, n'est-ce pas, un conseiller bien profane et bien licencieux ?

CASSIO. – Il parle sans façon, madame : vous trouverez en lui le soldat de meilleur goût que l'érudit. *(Cassio parle à voix basse à Desdémona et soutient avec elle une conversation animée.)*

IAGO, *à part, les observant.* – Il la prend par le creux de la main... Oui, bien dit ! Chuchote, va ! Une toile d'araignée aussi mince me suffira pour attraper cette grosse mouche de Cassio. Oui, souris-lui, va ! Je te garrotterai dans ta propre courtoisie... Vous dites vrai, c'est bien ça. Si ces grimaces-là vous enlèvent votre grade, lieutenant, vous auriez mieux fait de ne pas baiser si souvent vos trois doigts, comme sans doute vous allez le faire encore pour jouer au beau sire ! *(Cassio envoie du bout des doigts un baiser à Desdémona.)* Très bien ! bien baisé ! excellente courtoisie ! c'est cela, ma foi ! Oui, encore vos doigts à vos lèvres ! Puissent-ils être pour vous autant de canules de clystère ! *(Fanfares.)* Le More ! Je reconnais sa trompette.

CASSIO. – C'est vrai.

DESDÉMONA. – Allons au-devant de lui pour le recevoir.

CASSIO. – Ah ! le voici qui vient.

Entrent Othello avec sa suite. La foule se presse derrière lui.

OTHELLO. – Ô ma belle guerrière !

DESDÉMONA. – Mon cher Othello !

OTHELLO. – C'est pour moi une surprise égale à mon ravissement de vous voir ici avant moi. Ô joie de mon âme ! Si après chaque tempête viennent de pareils calmes, puissent les vents souffler jusqu'à réveiller la mort ! Puisse ma barque s'évertuer à gravir sur les mers des sommets hauts comme l'Olympe, et à replonger ensuite aussi loin que l'enfer l'est du ciel ! Si le moment était venu de mourir, ce serait maintenant le bonheur suprême ; car j'ai peur, tant le contentement de mon âme est absolu, qu'il n'y ait pas un ravissement pareil à celui-ci dans l'avenir inconnu de ma destinée !

DESDÉMONA. – Fasse le ciel, au contraire, que nos amours et nos joies augmentent avec nos années !

OTHELLO. – Dites amen à cela, adorables puissances ! Je ne puis pas expliquer ce ravissement. Il m'étouffe... C'est trop de joie. Tiens ! tiens encore ! *(Il l'embrasse.)* Que ce soient là les plus grands désaccords que fassent nos cœurs !

IAGO, *à part.* – Oh ! vous êtes en harmonie à présent ! Mais je broierai les clefs qui règlent ce concert, foi d'honnête homme !

OTHELLO. – Allons au château !... Vous savez la nouvelle, amis ? nos guerres sont terminées, les Turcs sont noyés. *(Aux gens de Chypre.)* Comment vont nos vieilles connaissances de cette île ? *(A Desdémona.)* Rayon de miel, on va bien vous désirer à Chypre ! J'ai rencontré ici une grande sympathie. Ô ma charmante, je bavarde sans ruse, et je raffole de mon bonheur... Je t'en prie, bon Iago, va dans la baie, et fais débarquer mes coffres ! Ensuite amène le patron à la citadelle ; c'est un brave, et son mérite réclame maints égards... Allons, Desdémona !... Encore une fois, quel bonheur de nous retrouver à Chypre ! *(Othello, Desdémona, Cassio, Émilia et leur suite sortent.)*

IAGO, *à Roderigo.* – Viens me rejoindre immédiatement au havre... Approche... Si tu es un vaillant, s'il est vrai, comme on le dit, que les hommes timides, une fois amoureux, ont dans le caractère une noblesse au-dessus de leur nature, écoute-moi. Le lieutenant est de service cette nuit dans la Cour des gardes...

Mais d'abord il faut que je te dise ceci... Desdémona est éperdument amoureuse de lui.

RODERIGO. – De lui ? Bah ! Ce n'est pas possible.

IAGO, *mettant son index sur sa bouche*. – Mets ton doigt comme ceci, et que ton âme s'instruise ! Remarque-moi avec quelle violence elle s'est d'abord éprise du More, simplement pour les fanfaronnades et les mensonges fantastiques qu'il lui disait. Continuera-t-elle de l'aimer pour son bavardage ? Que ton cœur discret n'en croie rien ! Il faut que ses yeux soient assouvis ; et quel plaisir trouvera-t-elle à regarder le diable ? Quand le sang est amorti par l'action de la jouissance, pour l'enflammer de nouveau et pour donner à la satiété un nouvel appétit, il faut une séduction dans les dehors, une sympathie d'années, de manières et de beauté, qui manquent au More. Eh bien ! à défaut de ces agréments nécessaires, sa délicate tendresse se trouvera déçue ; le cœur lui lèvera, et elle prendra le More en dégoût, en horreur ; sa nature même la décidera et la forcera à faire un second choix. Maintenant, mon cher, ceci accordé (et ce sont des prémisses très concluantes et très raisonnables), qui est placé plus haut que Cassio sur les degrés de cette bonne fortune ? Un drôle si souple, qui a tout juste assez de conscience pour affecter les formes d'une civile et généreuse bienséance, afin de mieux satisfaire la passion libertine et lubrique qu'il cache ! Non, personne n'est mieux placé que lui, personne ! Un drôle intrigant et subtil, un trouveur d'occasions ! Un faussaire qui peut extérieurement contrefaire toutes les qualités, sans jamais présenter une qualité de bon aloi ! Un drôle diabolique !... Et puis, le drôle est beau, il est jeune, il a en lui tous les avantages que peut souhaiter la folie d'une verte imagination ! C'est une vraie peste que ce drôle ! et la femme l'a déjà attrapé !

RODERIGO. – Je ne puis croire cela d'elle. Elle est pleine des plus angéliques inclinations.

IAGO. – Angélique queue de figue ! Le vin qu'elle boit est fait de grappes. Si elle était angélique à ce point, elle n'aurait jamais aimé le More. Angélique crème fouettée !... N'as-tu pas vu son manège avec la main de Cassio ? N'as-tu pas remarqué ?

RODERIGO. – Oui, certes : c'était de la pure courtoisie.

IAGO. – Pure paillardise, j'en jure par cette main ! C'est l'index, l'obscure préface à l'histoire de la luxure et des impures pensées. Leurs lèvres étaient si rapprochées que leurs haleines se baisaient. Pensées fort vilaines, Roderigo ! Quand de pareilles réciprocités ont frayé la route, arrive bien vite le maître exercice, la conclusion faite chair. Pish !... Mais laissez-vous diriger par moi, monsieur, par moi qui vous ai amené de Venise. Soyez de garde cette nuit. Pour la consigne, je vais vous la donner. Cassio ne vous connaît pas... Je ne serai pas loin de vous... Trouvez quelque prétexte pour irriter Cassio soit en parlant trop haut, soit en contrevenant à sa discipline, soit par tout autre moyen à votre convenance que l'occasion vous indiquera mieux encore.

RODERIGO. – Bon !

IAGO. – Il est vif, monsieur, et très prompt à la colère ; et peut-être vous frappera-t-il de son bâton. Provoquez-le à le faire, car de cet incident je veux faire naître parmi les gens de Chypre une émeute qui ne pourra se calmer sérieusement que par la destitution de Cassio. Alors vous abrégerez la route à vos désirs par les moyens que je mettrai à leur disposition, dès qu'aura été très utilement écarté l'obstacle qui s'oppose à tout espoir de succès.

RODERIGO. – Je ferai cela si vous pouvez m'en fournir l'occasion.

IAGO. – Compte sur moi. Viens tout à l'heure me rejoindre à la citadelle. Il faut que je débarque ses bagages. Au revoir !

RODERIGO. – Adieu ! *(Il sort.)*

IAGO, *seul*. – Que Cassio l'aime, je le crois volontiers ; qu'elle l'aime, lui, c'est logique et très vraisemblable. Le More, quoique je ne puisse pas le souffrir, est une fidèle, aimante et noble nature, et j'ose croire qu'il sera pour Desdémona le plus tendre mari. Et moi aussi, je l'aime ! non pas absolument par convoitise (quoique par aventure je puisse être coupable d'un si gros péché), mais plutôt par besoin de nourrir ma vengeance ; car je soupçonne fort le More lascif d'avoir sailli à ma place. Cette pensée, comme un poison minéral, me ronge intérieurement ; et mon âme ne peut pas être et ne sera pas satisfaite avant que nous soyons manche à manche, femme pour femme, ou tout au moins avant que j'aie inspiré au More une jalousie si forte que la raison ne puisse plus la guérir. Pour en venir là, si ce pauvre limier vénitien, dont je tiens en laisse l'impatience, reste bien en arrêt, je mettrai notre Michel Cassio sur le flanc. J'abuserai le More sur son compte de la façon la plus grossière (car je crains Cassio aussi pour mon bonnet de nuit), et je me ferai remercier, aimer et récompenser par le More, pour avoir fait de lui un âne insigne et avoir altéré son repos et sa confiance jusqu'à la folie. *(Se frappant le front.)* L'idée est là, mais confuse encore. La fourberie ne se voit jamais de face qu'à l'œuvre. *(Il sort.)*

SCÈNE II

Une place publique.

Entre LE HÉRAUT *d'Othello portant une proclamation et suivi de la foule.*

LE HÉRAUT. – C'est le bon plaisir d'Othello, notre noble et vaillant général, que tous célèbrent comme un triomphe l'arrivée des nouvelles certaines annonçant l'entière destruction de la flotte turque, les uns en dansant, les autres en faisant des feux de joie, en se livrant chacun aux divertissements et aux réjouissances où l'entraîne son goût. Car, outre ces bonnes nouvelles, on fête aujourd'hui les noces du général. Voilà ce qu'il lui a plu de faire proclamer. Tous les offices du château sont ouverts, et il y a pleine liberté d'y banqueter depuis le moment présent, cinq heures de relevée, jusqu'à ce que la cloche ait dit onze heures. Dieu bénisse l'île de Chypre et notre noble général, Othello ! *(Tous sortent.)*

SCÈNE III

Dans le château.

Entrent OTHELLO, DESDÉMONA, CASSIO *et des serviteurs.*

OTHELLO. – Mon bon Michel, veillez à la garde cette nuit : sachons contenir le plaisir dans l'honorable limite de la modération.
CASSIO. – Iago a reçu les instructions nécessaires. Néanmoins, je veux de mes propres yeux tout inspecter.
OTHELLO. – Iago est très honnête. Bonne nuit, Michel ! Demain, de très bonne heure, j'aurai à vous parler. *(A Desdémona.)* Venez, cher amour ! L'acquisition faite, l'usufruit doit s'ensuivre ; le rapport est encore à venir entre vous et moi. *(A Cassio.)* Bonne nuit ! *(Sortent Othello, Desdémona et leur suite.)*

Entre Iago.

CASSIO. – Vous êtes le bienvenu, Iago ! rendons-nous à notre poste.
IAGO. – Pas encore, lieutenant : il n'est pas dix heures. Notre général ne nous a renvoyés si vite que par amour pour sa Desdémona. Ne l'en blâmons pas. Il n'a pas encore fait nuit joyeuse avec elle, et la fête est digne de Jupiter.

CASSIO. – C'est une femme bien exquise.

IAGO. – Et, je vous le garantis, pleine de ressources.

CASSIO. – Vraiment, c'est une créature d'une fraîcheur, d'une délicatesse suprêmes.

IAGO. – Quel regard elle a ! il me semble qu'il bat la chamade de la provocation.

CASSIO. – Le regard engageant, et pourtant, ce me semble, parfaitement modeste.

IAGO. – Et quand elle parle, n'est-ce pas le tocsin de l'amour ?

CASSIO. – Vraiment, elle est la perfection même.

IAGO. – C'est bien ! bonne chance à leurs draps !... Allons ! lieutenant, j'ai là une cruche de vin, et il y a à l'entrée une bande de galants Chypriotes qui seraient bien aises d'avoir une rasade à la santé du noir Othello.

CASSIO. – Pas ce soir, bon Iago ! j'ai pour boire une très pauvre et très malheureuse cervelle. Je ferais bien de souhaiter que la courtoisie inventât quelque autre plaisir sociable.

IAGO. – Oh ! ils sont tous nos amis. Une seule coupe ! Je la boirai pour vous.

CASSIO. – Je n'en ai bu qu'une ce soir et prudemment arrosée encore ; voyez pourtant quel changement elle fait en moi. J'ai une infirmité malheureuse, et je n'ose pas imposer à ma faiblesse une nouvelle épreuve.

IAGO. – Voyons, l'homme ! c'est une nuit de fête. Nos galants le demandent.

CASSIO. – Où sont-ils ?

IAGO. – Là, à la porte : je vous en prie, faites-les entrer.

CASSIO. – J'y consens, mais cela me déplaît. *(Il sort.)*

IAGO, *seul.* – Si je puis seulement lui enfoncer une seconde coupe sur celle qu'il a déjà bue ce soir, il va être aussi querelleur et aussi irritable que le chien de ma jeune maîtresse... Maintenant, mon fou malade, Roderigo, que l'amour a déjà mis presque sens dessus dessous, a ce soir même porté à Desdémona des toasts profonds d'un pot, et il est de garde ! Et puis ces trois gaillards chypriotes, esprits gonflés d'orgueil, qui maintiennent leur honneur à une méticuleuse distance, et en qui fermente le tempérament de cette île belliqueuse, je les ai ce soir même échauffés à pleine coupe, et ils sont de garde aussi. Enfin, au milieu de ce troupeau d'ivrognes, je vais engager Cassio dans quelque action qui mette l'île en émoi... Mais les voici qui viennent. Si le résultat confirme mon rêve, ma barque va filer lestement, avec vent et marée !

Cassio rentre, suivi de Montano et de quelques gentilshommes.

CASSIO. – Par le ciel ! ils m'ont déjà fait boire un coup.

MONTANO. – Un bien petit, sur ma parole ! pas plus d'une pinte, foi de soldat !

IAGO. – Holà ! du vin ! *(Il chante.)*

> *Et faites-moi trinquer la canette,*
> *Et faites-moi trinquer la canette.*
> *Un soldat est un homme, et la vie n'est qu'un moment.*
> *Faites donc boire le soldat.*

Du vin, pages ! *(On apporte du vin.)*

CASSIO. – Par le ciel ! voilà une excellente chanson.

IAGO. – Je l'ai apprise en Angleterre, où vraiment les gens ne sont pas impotents devant les pots. Votre Danois, votre Allemand et votre Hollandais ventru... à boire, holà !... ne sont rien à côté de votre Anglais.

CASSIO. – Votre Anglais est-il donc si expert à boire ?

IAGO. – Oh ! il vous boit avec facilité votre Danois ivre mort ; il peut sans suer renverser votre Allemand ; et il a déjà fait vomir votre Hollandais, qu'il a encore un autre pot à remplir ! *(Tous remplissent leurs verres.)*

CASSIO. – A la santé de notre général !

MONTANO. – J'en suis, lieutenant, et je vous fais raison.

IAGO. – Ô suave Angleterre ! *(Il chante.)*

> *Le roi Étienne était un digne pair.*
> *Ses culottes ne lui coûtaient qu'une couronne ;*
> *Il trouvait ça six pence trop cher,*
> *Et aussi il appelait son tailleur un drôle.*
> *C'était un être de haut renom,*
> *Et toi, tu n'es qu'un homme de peu.*
> *C'est l'orgueil qui ruine le pays.*
> *Prends donc sur toi ton vieux manteau !*

Holà ! du vin !

CASSIO. – Tiens ! cette chanson est encore plus exquise que l'autre.

IAGO. – Voulez-vous l'entendre de nouveau ?

CASSIO, *d'une voix avinée.* – Non ! car je tiens pour indigne de son rang celui qui fait ces choses... Bon !... Le ciel est au-dessus de tous : il y a des âmes qui doivent être sauvées, et il y a des âmes qui ne doivent pas être sauvées.

IAGO. – C'est vrai, bon lieutenant.

CASSIO. – Pour ma part, sans offenser le général ni aucun homme de qualité, j'espère être sauvé.

IAGO. – Et moi aussi, lieutenant.

CASSIO. – Oui ! mais, permettez ! après moi. Le lieutenant doit être sauvé avant l'enseigne... Ne parlons plus de ça ; passons à nos affaires... Pardonnez-nous nos péchés !... Messieurs, veillons à notre service !... N'allez pas, messieurs, croire que je suis ivre ! Voici mon enseigne, voici ma main droite et voici ma gauche... Je ne suis pas ivre en ce moment : je puis me tenir assez bien et je parle assez bien.

TOUS. – Excessivement bien !

CASSIO. – Donc, c'est très bien : vous ne devez pas croire que je suis ivre. *(Il sort, en chancelant.)*

MONTANO. – A la plate-forme, mes maîtres ! Allons relever le poste.

IAGO, *à Montano.* – Vous voyez ce garçon qui vient de sortir : c'est un soldat digne d'être aux côtés de César et fait pour commander. Eh bien ! voyez son vice : il fait avec sa vertu un équinoxe exact ; l'un est égal à l'autre. C'est dommage ! J'ai bien peur, vu la confiance qu'Othello met en lui, qu'un jour quelque accès de son infirmité ne bouleverse cette île.

MONTANO. – Mais est-il souvent ainsi ?

IAGO. – C'est pour lui le prologue continuel du sommeil : il resterait sans dormir deux fois douze heures, si l'ivresse ne le berçait pas.

MONTANO. – Il serait bon que le général fût prévenu de cela. Peut-être ne s'en aperçoit-il pas ; peut-être sa bonne nature, à force d'estimer le mérite qui apparaît en Cassio, ne voit-elle pas ses défauts. N'ai-je pas raison ?

Entre Roderigo.

IAGO, *à part.* – Ah ! c'est vous, Roderigo ! Je vous en prie, courez après le lieutenant, allez ! *(Roderigo sort.)*

MONTANO. – C'est grand dommage que le noble More hasarde un poste comme celui de son lieutenant sur un homme enté d'une telle infirmité. Ce serait une honnête action de le dire au More.

IAGO. – Moi, je ne le ferais pas pour toute cette belle île. J'aime fort Cassio, et je ferais beaucoup pour le guérir de son mal... Mais écoutez ! Quel est ce bruit ?

CRIS AU-DEHORS. – Au secours ! au secours !

Rentre Roderigo, poursuivi par Cassio.

CASSIO. – Coquin ! chenapan !

MONTANO. – Qu'y a-t-il, lieutenant ?

CASSIO. – Le drôle ! vouloir m'apprendre mon devoir ! Je vais battre ce drôle jusqu'à ce qu'il entre dans une bouteille d'osier.

RODERIGO. – Me battre !

CASSIO. – Tu bavardes, coquin ! *(Il frappe Roderigo.)*

MONTANO, *l'arrêtant*. – Voyons, bon lieutenant ! Je vous en prie, monsieur, retenez votre main.

CASSIO. – Lâchez-moi, monsieur, ou je vous écrase la mâchoire.

MONTANO. – Allons ! allons ! vous êtes ivre.

CASSIO. – Ivre ! *(Cassio et Montano dégainent et se battent.)*

IAGO, *bas, à Roderigo*. – En route, vous dis-je ! Sortez et criez à l'émeute ! *(Roderigo sort.)* Voyons, mon bon lieutenant !... Par pitié, messieurs !... Holà ! au secours !... Lieutenant ! Seigneur Montano !... Au secours, mes maîtres !... Voilà une superbe faction, en vérité ! *(Le tocsin sonne.)* Qui est-ce qui sonne la cloche ?... Diable ! ho ! Toute la ville va se lever... Au nom de Dieu, lieutenant, arrêtez ! Vous allez être déshonoré à jamais !

Entrent Othello avec sa suite.

OTHELLO. – Que se passe-t-il ici ?

MONTANO. – Mon sang ne cesse de couler : je suis blessé à mort. Qu'il meure ! *(Il s'élance sur Cassio.)*

OTHELLO. – Sur vos têtes, arrêtez !

IAGO. – Arrêtez ! holà ! Lieutenant ! Seigneur Montano ! Messieurs ! Avez-vous perdu tout sentiment de votre rang et de votre devoir ? Arrêtez ! Le général vous parle. Arrêtez ! par pudeur ! *(Le tocsin sonne toujours. Les combattants se séparent.)*

OTHELLO. – Voyons ! qu'y a-t-il ? Holà ! quelle est la cause de ceci ? Sommes-nous changés en Turcs pour nous faire à nous-mêmes ce que le ciel a interdit aux Ottomans ? Par pudeur chrétienne laissez là cette rixe barbare. Celui qui bouge pour se faire l'écuyer tranchant de sa rage tient son âme pour peu de chose ; il meurt au premier mouvement. *(Aux gens de sa suite.)* Qu'on fasse taire cette horrible cloche qui met cette île effarée hors d'elle-même ! De quoi s'agit-il, mes maîtres ? Honnête Iago, toi qui sembles mort de douleur, parle. Qui a commencé ? Sur ton dévouement, je te somme de parler.

IAGO. – Je ne sais pas. Tout à l'heure, tout à l'heure encore, il n'y avait au quartier que de bons amis, affectueux comme des fiancés se déshabillant pour le lit ; et aussitôt, comme si quelque planète avait fait déraisonner les hommes, les voilà, l'épée en l'air, qui se visent à la poitrine dans une joute à outrance. Je ne puis dire comment a commencé cette triste querelle, et je voudrais avoir perdu dans une action glorieuse les jambes qui m'ont amené pour être témoin de ceci.

OTHELLO, *à Cassio*. – Comment se fait-il, Michel, que vous vous soyez oublié ainsi ?

CASSIO. – De grâce ! pardonnez-moi ! je ne puis parler.

OTHELLO. – Digne Montano, vous étiez de mœurs civiles, la

gravité et le calme de votre jeunesse ont été remarqués par le monde, et votre nom est grand dans la bouche de la plus sage censure : comment se fait-il que vous gaspilliez ainsi votre réputation, et que vous dépensiez votre riche renom pour le titre de tapageur nocturne ? Répondez-moi.

MONTANO. – Digne Othello, je suis dangereusement blessé. Votre officier Iago peut, en m'épargnant des paroles qui en ce moment me feraient mal, vous raconter tout ce que je sais. Je ne sache pas que cette nuit j'aie dit ou fait rien de blâmable, à moins que la charité pour soi-même ne soit parfois un vice, et que ce ne soit un péché de nous défendre quand la violence nous attaque.

OTHELLO. – Ah ! par le ciel ! mon sang commence à dominer mes inspirations les plus tutélaires, et la colère, couvrant de ses fumées mon calme jugement, essaye de m'entraîner. Pour peu que je bouge, si je lève seulement ce bras, le meilleur d'entre vous s'abîmera dans mon indignation. Dites-moi comment cette affreuse équipée a commencé et qui l'a causée ; et celui qui sera reconnu coupable, me fût-il attaché dès la naissance comme un frère jumeau, je le rejetterai de moi... Quoi ! dans une ville de guerre, encore frémissante, où la frayeur déborde de tous les cœurs, engager une querelle privée et domestique, la nuit, dans la salle des gardes, un lieu d'asile ! C'est monstrueux !... Iago, qui a commencé ?

MONTANO, à Iago. – Si, par partialité d'affection ou d'esprit de corps, tu dis plus ou moins que la vérité, tu n'es pas un soldat !

IAGO, à Montano. – Ne me touchez pas de si près... J'aimerais mieux avoir la langue coupée que de faire tort à Michel Cassio ; mais je suis persuadé que je puis dire la vérité sans lui nuire en rien. Voici les faits, général. Tandis que nous causions, Montano et moi, arrive un individu criant *au secours !* et, derrière lui, Cassio, l'épée tendue, prêt à le frapper. Alors, seigneur *(montrant Montano)*, ce gentilhomme s'interpose devant Cassio et le supplie de s'arrêter. Moi, je me mets à la poursuite du criard pour l'empêcher, comme cela est arrivé, d'effrayer la ville par ses clameurs. Mais il avait le pied si leste qu'il a couru hors de ma portée, et je suis revenu d'autant plus vite que j'entendais le cliquetis et le choc des épées et Cassio qui jurait très fort : ce que jusqu'ici il n'avait jamais fait, que je sache. Quand je suis rentré, et ce n'a pas été long, je les ai trouvés l'un contre l'autre, en garde et ferraillant, exactement comme ils étaient quand vous êtes venu vous-même les séparer. Je n'ai rien à dire de plus, si ce n'est que les hommes sont hommes, et que les meilleurs s'oublient parfois. Quoique Cassio ait eu un petit tort envers celui-ci (on sait que les gens en rage frappent ceux à qui ils veulent le plus de bien), il est certain, selon moi, que Cassio a reçu du fuyard quelque outrage excessif que la patience ne pouvait supporter.

OTHELLO. – Je le vois, Iago ! ton honnêteté et ton affection atténuent cette affaire pour la rendre légère à Cassio... Cassio, je t'aime, mais désormais tu n'es plus de mes officiers.

Entrent Desdémona et sa suite.

Voyez si ma douce bien-aimée n'a pas été réveillée ! *(A Cassio.)* Je ferai de toi un exemple.

DESDÉMONA. – Que se passe-t-il donc, cher ?

OTHELLO. – Tout est bien, ma charmante ! Viens au lit. *(A Montano.)* Monsieur, pour vos blessures, je serai moi-même votre chirurgien... Qu'on l'emmène ! *(On emporte Montano.)* Iago, parcours avec soin la ville, et calme ceux que cette ignoble bagarre a effarés... Allons, Desdémona ! c'est la vie du soldat de voir ses salutaires sommeils troublés par l'alerte. *(Tous sortent, excepté Iago et Cassio.)*

IAGO. – Quoi ! êtes-vous blessé, lieutenant ?

CASSIO. – Oui, et incurable.

IAGO. – Diantre ! au ciel ne plaise !

CASSIO. – Réputation ! réputation ! réputation ! Oh ! j'ai perdu ma réputation ! J'ai perdu la partie immortelle de moi-même, et ce qui reste est bestial !... Ma réputation, Iago, ma réputation !

IAGO. – Foi d'honnête homme ! j'avais cru que vous aviez reçu quelque blessure dans le corps : c'est plus douloureux là que dans la réputation. La réputation est un préjugé vain et fallacieux : souvent gagnée sans mérite et perdue sans justice ! Vous n'avez pas perdu votre réputation du tout, à moins que vous ne vous figuriez l'avoir perdue. Voyons, l'homme ! il y a des moyens de ramener le général. Il vous a renvoyé dans un moment d'humeur, punition prononcée par la politique plutôt que par le ressentiment ; juste comme on frapperait son chien inoffensif pour effrayer un lion impérieux. Implorez-le de nouveau, et il est à vous.

CASSIO. – J'aimerais mieux implorer son mépris que d'égarer la confiance d'un si bon chef sur un officier si léger, si ivrogne et si indiscret !... Être ivre ! Jaser comme un perroquet et se chamailler ! Vociférer, jurer et parler charabia avec son ombre !... Ô toi, invisible esprit du vin, si tu n'as pas de nom dont on te désigne, laisse-nous t'appeler démon !

IAGO. – Quel était celui que vous poursuiviez avec votre épée ? Que vous avait-il fait ?

CASSIO. – Je ne sais pas.

IAGO. – Est-il possible ?

CASSIO. – Je me rappelle une masse de choses, mais aucune distinctement ; une querelle, mais nullement le motif. Oh ! se peut-il que les hommes s'introduisent un ennemi dans la bouche pour qu'il leur vole la cervelle ! et que ce soit pour nous une joie, un plaisir, une fête, un triomphe, de nous transformer en bêtes !

IAGO. – Eh ! mais, vous êtes assez bien maintenant : comment vous êtes-vous remis ainsi ?

CASSIO. – Il a plu au démon Ivrognerie de céder sa place au démon Colère : une imperfection m'en montre une autre pour me faire bien franchement mépriser de moi-même.

IAGO. – Allons ! vous êtes un moraliste trop sévère. Vu l'époque, le lieu et l'état de ce pays, j'aurais cordialement désiré que ceci n'eût pas eu lieu ; mais, puisque la chose est ce qu'elle est, réparez-la à votre avantage.

CASSIO. – Que je veuille lui redemander ma place, il me dira que je suis un ivrogne. J'aurais autant de bouches que l'Hydre, qu'une telle réponse me les fermerait toutes... Être à présent un homme sensé, tout à l'heure un fou, et bientôt une brute ! Oh ! étrange ! Chaque coupe de trop est maudite et a pour ingrédient un démon.

IAGO. – Allons ! allons ! le bon vin est un bon être familier quand on en use convenablement : ne vous récriez plus contre lui. Bon lieutenant ! vous pensez, je pense, que je vous aime ?

CASSIO. – Je l'ai bien éprouvé, monsieur !... Moi, ivre !

IAGO. – Vous, comme tout autre vivant, vous pouvez être ivre une fois par hasard, l'ami ! Je vais vous dire ce que vous devez faire. La femme de notre général est maintenant le général. Je puis le dire, en ce sens qu'il s'est consacré tout entier, remarquez bien ! à la contemplation et au culte des qualités et des grâces de sa femme. Confessez-vous franchement à elle. Importunez-la pour qu'elle vous aide à rentrer en place : elle est d'une disposition si généreuse, si affable, si obligeante, si angélique, qu'elle regarde comme un vice de sa bonté de ne pas faire plus que ce qui lui est demandé. Eh bien ! cette jointure brisée entre vous et son mari, priez-la de la raccommoder ; et je parie ma fortune contre un enjeu digne de ce nom qu'après cette fracture votre amitié sera plus forte qu'auparavant.

CASSIO. – Vous me donnez là de bons avis.

IAGO. – Ce sont ceux, je vous assure, d'une amitié sincère et d'une honnête bienveillance.

CASSIO. – Je le crois sans réserve. Aussi irai-je, de bon matin, supplier la vertueuse Desdémona d'intercéder pour moi. Je désespère de ma fortune, si elle me tient échoué là.

IAGO. – Vous êtes dans le vrai. Bonne nuit, lieutenant ! Il faut que je fasse ma ronde.

CASSIO. – Bonne nuit, honnête Iago ! *(Sort Cassio.)*

IAGO, *seul.* – Et qu'est-ce donc qui dira que je joue le rôle d'un fourbe, quand l'avis que je donne est si loyal, si honnête, si conforme à la logique, et indique si bien le moyen de faire revenir le More ? Quoi de plus facile que d'entraîner la complaisante Desdémona dans une honnête intrigue ? Elle a l'expansive bonté des éléments généreux. Et quoi de plus facile pour elle que de gagner le More ? S'agit-il pour lui de renier son baptême et toutes les consécrations, tous les symboles de la Rédemption ? il a l'âme tellement enchaînée à son amour pour elle, qu'elle peut faire, défaire, refaire tout à son gré, selon que son caprice veut exercer sa divinité sur la faible nature du More ! En quoi donc suis-je un fourbe de conseiller à Cassio la parallèle qui le mène droit au succès ? Divinité de l'enfer ! Quand les démons veulent produire les forfaits les plus noirs, ils les présentent d'abord sous des dehors célestes, comme je fais en ce moment. En effet, tandis que cet honnête imbécile suppliera Desdémona de réparer sa fortune et qu'elle plaidera chaudement sa cause auprès du More, je verserai dans l'oreille de celui-ci la pensée pestilentielle qu'elle ne réclame Cassio que par désir charnel ; et plus elle tâchera de faire du bien à Cassio, plus elle perdra de crédit sur le More. C'est ainsi que je changerai sa vertu en glu, et que de sa bonté je ferai le filet qui les enserrera tous...

Entre Roderigo.

Qu'y a-t-il, Roderigo ? *(Le jour commence à poindre.)*

RODERIGO. – Je suis ici à la chasse, non comme le limier qui relance, mais seulement comme celui qui donne le cri. Mon argent est presque entièrement dépensé ; j'ai été cette nuit parfaitement bâtonné ; et l'issue que je vois à tout ceci, c'est que j'aurai de l'expérience pour mes peines, et qu'alors avec tout mon argent de moins et un peu d'esprit de plus, je retournerai à Venise.

IAGO. – Pauvres gens ceux qui n'ont pas de patience ! Quelle blessure s'est jamais guérie autrement que par degrés ? Tu sais bien que nous opérons par l'intelligence et non par la magie ; et l'intelligence est soumise aux délais du temps. Tout ne va-t-il pas bien ? Cassio t'a battu, et toi, par cette légère contusion, tu as cassé Cassio. Il y a bien des choses qui poussent vite sous le soleil, mais les plantes qui sont les premières à porter fruit commencent d'abord par fleurir. Patience donc !... Par la messe ! voici le matin : le plaisir et l'action font paraître courtes les heures. Rentre, va au logement que t'indique ton billet. En route, te dis-je ! Tu en sauras bientôt davantage. Allons ! esquive-toi. *(Roderigo sort.)* Deux choses restent à faire. Ma femme doit agir pour Cassio auprès de sa maîtresse ; je vais la faire mouvoir ; moi-même, pendant ce temps, je prends le More à part, et je l'amène brusquement dès qu'il peut surprendre Cassio sollicitant sa femme... Oui, voilà la marche ; n'énervons pas l'idée par la froideur et les retards. *(Il sort.)*

ACTE III

SCÈNE PREMIÈRE

Devant le château.

Entrent CASSIO *et des musiciens.*

CASSIO. – Jouez ici, mes maîtres ! Je vous récompenserai de vos peines. Quelque chose de bref ! Et puis souhaitez le bonjour au général. *(Musique.)*

Entre le clown.

LE CLOWN. – Dites donc, mes maîtres ! est-ce que vos instruments ont été à Naples, qu'ils parlent ainsi du nez ?

PREMIER MUSICIEN. – Comment, monsieur, comment ?

LE CLOWN. – Est-ce là, je vous prie, ce qu'on appelle des instruments à vent ?

PREMIER MUSICIEN. – Pardieu ! oui, monsieur.

LE CLOWN. – Ah ! c'est par là que pend la queue ?

PREMIER MUSICIEN. – Où voyez-vous pendre une queue, monsieur ?

LE CLOWN. – Pardieu ! à bien des instruments à vent que je connais. Mais, mes maîtres, voici de l'argent pour vous ; et le général aime tant votre musique qu'il vous demande, au nom de votre dévouement à tous, de ne plus faire de bruit avec elle.

PREMIER MUSICIEN. – Bien, monsieur ! nous cessons.

LE CLOWN. – Si vous avez de la musique qui puisse ne pas s'entendre, vous pouvez continuer ; mais pour celle qui s'entend, comme on dit, le général ne s'en soucie pas beaucoup.

PREMIER MUSICIEN. – Nous n'avons pas de musique comme celle dont vous parlez, monsieur.

LE CLOWN. – Alors remettez vos flûtes dans vos sacs, car je m'en vais. Partez ! évaporez-vous ! Allons ! *(Les musiciens sortent.)*

CASSIO, *au clown.* – Écoute, mon honnête ami !

LE CLOWN. – Non, je n'écoute pas votre honnête ami. Je vous écoute.

CASSIO. – De grâce ! suspends tes lazzi. Voici une pauvre pièce d'or pour toi : si la dame qui accompagne la femme du général est levée, dis-lui qu'un nommé Cassio implore d'elle la faveur d'un instant d'entretien. Veux-tu ?

LE CLOWN. – Elle est levée, monsieur. Si elle veut venir ici, il est vraisemblable que je lui notifierai votre désir.

CASSIO. – Fais, mon bon ami. *(Le clown sort.)*

Entre Iago.

Heureuse rencontre, Iago !

IAGO. – Vous ne vous êtes donc pas couché ?

CASSIO. – Oh ! non ; il faisait jour quand nous nous sommes quittés. J'ai pris la liberté, Iago, d'envoyer quelqu'un à votre femme. J'ai à lui demander de vouloir bien me procurer accès auprès de la vertueuse Desdémona.

IAGO. – Je vais vous l'envoyer sur-le-champ ; et je trouverai moyen d'attirer le More à l'écart pour que vous puissiez causer de vos affaires avec plus de liberté.

CASSIO. – Je vous en remercie humblement. *(Iago sort.)* Je n'ai jamais connu un Florentin plus aimable et plus honnête.

Entre Émilia.

ÉMILIA. – Bonjour, bon lieutenant ! Je suis fâchée de votre mésaventure ; mais tout va s'arranger. Le général et sa femme sont en train d'en causer, et elle parle pour vous vaillamment. Le More répond que celui que vous avez blessé a dans Chypre une haute réputation et de hautes alliances, et que, par une sainte prudence, il est obligé de vous refuser ; mais il proteste qu'il vous aime, et qu'il n'a pas besoin d'autre plaidoyer que ses sympathies pour saisir aux cheveux la première occasion de vous remettre en place.

CASSIO. – Pourtant, je vous en supplie, si vous le jugez convenable ou possible, donnez-moi l'avantage d'un court entretien avec Desdémona seule.

ÉMILIA. – Entrez, je vous prie : je vais vous mettre à même de lui parler à cœur ouvert.

CASSIO. – Je vous suis bien obligé. *(Ils disparaissent dans le château.)*

SCÈNE II

Dans le château.

Entrent OTHELLO, IAGO *et des gentilshommes.*

OTHELLO, *remettant des papiers à Iago.* – Ces lettres, Iago, donnez-les au pilote, et chargez-le de présenter mes devoirs au Sénat. Après quoi (je vais visiter les travaux) vous viendrez m'y rejoindre.

IAGO. – Bien, mon bon seigneur, je n'y manquerai pas.

OTHELLO. – Messieurs, allons-nous voir ces fortifications ?

LES GENTILSHOMMES. – Nous escorterons Votre Seigneurie. *(Ils sortent.)*

SCÈNE III

Le jardin du château.

Entrent DESDÉMONA, CASSIO *et* ÉMILIA.

DESDÉMONA. – Sois sûr, bon Cassio, que je ferai en ta faveur tout mon possible.

ÉMILIA. – Faites, bonne madame : je sais que cette affaire tourmente mon mari comme si elle lui était personnelle.

DESDÉMONA. – Oh ! c'est un honnête garçon !... N'en doutez pas, Cassio : je réussirai à vous rendre, mon mari et vous, aussi bons amis qu'auparavant.

CASSIO. – Généreuse madame, quoi qu'il advienne de Michel Cassio, il ne sera jamais que votre loyal serviteur.

DESDÉMONA. – Je le sais et vous en remercie. Vous aimez mon seigneur, vous le connaissez depuis longtemps, soyez persuadé que dans son éloignement de vous il ne gardera que la distance de la politique.

CASSIO. – Oui, madame ; mais cette politique-là peut durer si longtemps, elle peut s'alimenter d'un régime si subtil et si fluide, ou se soutenir par la force des choses de telle sorte que, moi absent et ma place remplie, le général oublie mon dévouement et mes services.

DESDÉMONA. – Ne crains pas cela. Ici, en présence d'Émilia, je te garantis ta place. Sois sûr que, quand je fais un vœu d'amitié, je l'accomplis jusqu'au dernier article. Mon mari n'aura pas de repos : je l'apprivoiserai d'insomnies ! je l'impatienterai de paroles ! Son lit lui fera l'effet d'une école ; sa table, d'un confessionnal ! Je mêlerai à tout ce qu'il fera la supplique de Cassio. Donc, sois gai, Cassio ! car ton avocat mourra plutôt que d'abandonner ta cause.

Entrent Othello et Iago.
Ils se tiennent quelque temps à distance.

ÉMILIA. – Madame, voici monseigneur.

CASSIO, *à Desdémona.* – Madame, je vais prendre congé de vous.

DESDÉMONA. – Bah ! restez : vous m'entendrez parler !

CASSIO. – Pas maintenant, madame : je me sens mal à l'aise et impuissant pour ma propre cause.

DESDÉMONA. – Bien, bien ! faites à votre guise. *(Sort Cassio.)*

IAGO. – Ha ! je n'aime pas cela.

OTHELLO. – Que dis-tu ?

IAGO. – Rien, monseigneur... ou si... je ne sais quoi...

OTHELLO. – N'est-ce pas Cassio qui vient de quitter ma femme ?

IAGO. – Cassio, monseigneur ? Non, assurément ; je ne puis croire qu'il se déroberait ainsi comme un coupable en vous voyant venir.

OTHELLO. – Je crois que c'était lui.

DESDÉMONA. – Eh bien ! monseigneur ? Je viens de causer ici avec un solliciteur, un homme qui languit dans votre déplaisir.

OTHELLO. – De qui voulez-vous parler ?

DESDÉMONA. – Eh ! de votre lieutenant Cassio. Mon bon seigneur, si j'ai assez de grâce ou d'influence pour vous émouvoir, veuillez dès à présent l'admettre à résipiscence. Car, s'il n'est pas vrai que cet homme vous aime sincèrement et que sa faute est une erreur involontaire, je ne me connais pas en physionomie honnête... Je t'en prie, rappelle-le.

OTHELLO. – C'est donc lui qui vient de partir d'ici ?

DESDÉMONA. – Oui, vraiment ; mais si abattu qu'il m'a laissé une partie de son chagrin et que j'en souffre avec lui. Cher amour, rappelle-le.

OTHELLO. – Pas maintenant, ma douce Desdémona ! dans un autre moment.

DESDÉMONA. – Mais sera-ce bientôt ?

OTHELLO. – Le plus tôt possible, ma charmante, pour vous plaire.

DESDÉMONA. – Sera-ce ce soir au souper ?

OTHELLO. – Non, pas ce soir.

DESDÉMONA. – Demain, au dîner, alors ?

OTHELLO. – Je ne dînerai pas chez moi : je vais à un repas d'officiers, à la citadelle.

DESDÉMONA. – Alors, demain soir ! ou mardi matin ! ou mardi après-midi ! ou mardi soir ! ou mercredi matin !... Je t'en prie, fixe une époque, mais qu'elle ne dépasse pas trois jours ! Vrai, il est bien pénitent ; et puis, aux yeux de notre raison vulgaire, n'était la guerre qui exige, dit-on, qu'on fasse exemple même sur les meilleurs, son délit est tout au plus une faute qui mérite une réprimande privée. Quand reviendra-t-il ? Dites-le-moi, Othello... Je cherche dans mon âme ce que, si vous me le demandiez, je pourrais vous refuser ou hésiter autant à vous accorder. Quoi ! ce Michel Cassio, qui vous accompagnait dans vos visites d'amoureux et qui, si souvent, lorsque j'avais parlé de vous défavorablement, prenait votre parti ! Faut-il tant d'efforts pour le ramener à vous ? Croyez-moi, je pourrais faire beaucoup...

OTHELLO. – Assez ! je te prie. Qu'il revienne quand il voudra ! Je ne veux rien te refuser.

DESDÉMONA. – Comment ! mais ceci n'est point une faveur ; c'est comme si je vous priais de mettre vos gants, de manger des mets nourrissants ou de vous tenir chaudement, comme si je vous sollicitais de prendre un soin particulier de votre personne. Ah ! quand je vous demanderai une concession, dans le but d'éprouver réellement votre amour, je veux qu'elle soit importante, difficile et périlleuse à accorder.

OTHELLO. – Je ne te refuserai rien ; mais toi, je t'en conjure, accorde-moi la grâce de me laisser un instant à moi-même.

DESDÉMONA. – Vous refuserai-je ? Non. Au revoir, monseigneur !

OTHELLO. – Au revoir, ma Desdémona ! je vais te rejoindre à l'instant.

DESDÉMONA. – Viens, Émilia. *(A Othello.)* Qu'il soit fait au gré de vos caprices ! Quels qu'ils soient, je suis obéissante. *(Elle sort avec Émilia.)*

OTHELLO. – Excellente créature ! Que la perdition s'empare de mon âme si je ne t'aime pas ! Va ! quand je ne t'aimerai plus, ce sera le retour du chaos.

IAGO. – Mon noble seigneur !...

OTHELLO. – Que dis-tu, Iago ?

IAGO. – Est-ce que Michel Cassio, quand vous faisiez votre cour à madame, était instruit de votre amour ?

OTHELLO. – Oui, depuis le commencement jusqu'à la fin. Pourquoi le demandes-tu ?

IAGO. – Mais, pour la satisfaction de ma pensée ; je n'y mets pas plus de malice.

OTHELLO. – Et quelle est ta pensée, Iago ?

IAGO. – Je ne pensais pas qu'il eût été en relation avec elle.

OTHELLO. – Oh ! si ! Même il était bien souvent l'intermédiaire entre nous.

IAGO. – Vraiment ?

OTHELLO. – Vraiment ! Oui, vraiment !... Aperçois-tu là quelque chose ? Est-ce qu'il n'est pas honnête ?

IAGO. – Honnête, monseigneur ?

OTHELLO. – Honnête ! oui, honnête.

IAGO. – Monseigneur, pour ce que j'en sais !

OTHELLO. – Qu'as-tu donc dans l'idée ?

IAGO. – Dans l'idée, monseigneur ?

OTHELLO. – Dans l'idée, monseigneur ! Par le ciel ! il me fait écho comme s'il y avait dans son esprit quelque monstre trop hideux pour être mis au jour... Tu as une arrière-pensée ! Je viens à l'instant de t'entendre dire que tu n'aimais pas cela ; c'était quand Cassio a quitté ma femme. Qu'est-ce que tu n'aimais pas ? Puis, quand je t'ai dit qu'il était dans ma confidence pendant tout le cours de mes assiduités, tu as crié : Vraiment ! Et tu as contracté et froncé le sourcil comme si tu avais enfermé dans ton cerveau quelque horrible conception. Si tu m'aimes, montre-moi ta pensée.

IAGO. – Monseigneur, vous savez que je vous aime.

OTHELLO. – Je le crois ; et, comme je sais que tu es plein d'amour et d'honnêteté, que tu pèses tes paroles avant de leur donner le souffle, ces hésitations de ta part m'effrayent d'autant plus. Chez un maroufle faux et déloyal, de telles choses sont des grimaces habituelles ; mais chez un homme qui est juste, ce sont des dénonciations secrètes qui fermentent d'un cœur impuissant à contenir l'émotion.

IAGO. – Pour Michel Cassio, j'ose jurer que je le crois honnête.

OTHELLO. – Je le crois aussi.

IAGO. – Les hommes devraient être ce qu'ils paraissent ; ou plût au ciel qu'aucun d'eux ne pût paraître ce qu'il n'est pas !

OTHELLO. – Certainement, les hommes devraient être ce qu'ils paraissent.

IAGO. – Eh bien ! alors, je pense que Cassio est un honnête homme.

OTHELLO. – Non ! il y a autre chose là-dessous. Je t'en prie, dis-moi, comme à ta pensée même, ce que tu rumines ; et exprime ce qu'il y a de pire dans tes idées par ce que les mots ont de pire.

IAGO. – Mon bon seigneur, pardonnez-moi. Je suis tenu envers vous à tous les actes de déférence ; mais je ne suis pas tenu à ce dont les esclaves mêmes sont exemptés. Révéler mes pensées ! Eh bien ! supposez qu'elles soient viles et fausses... Quel est le palais où jamais chose immonde ne s'insinue ? Quel est le cœur si pur où jamais d'iniques soupçons n'ont ouvert d'assises et siégé à côté des méditations les plus équitables ?

OTHELLO. – Iago, tu conspires contre ton ami, si, croyant qu'on lui fait tort, tu laisses son oreille étrangère à tes pensées.

IAGO. – Je vous en supplie !... Voyez-vous ! je puis être injuste dans mes suppositions ; car, je le confesse, c'est une infirmité de ma nature de flairer partout le mal ; et souvent ma jalousie imagine des fautes qui ne sont pas... Je vous en conjure donc, n'allez pas prendre avis d'un homme si hasardeux dans ses conjectures, et vous créer un tourment de ses observations vagues et incertaines. Il ne sied pas à votre repos, à votre bonheur, ni à mon humanité, à ma probité, à ma sagesse, que je vous fasse connaître mes pensées.

OTHELLO. – Que veux-tu dire ?

IAGO. – La bonne renommée pour l'homme et pour la femme, mon cher seigneur, est le joyau suprême de l'âme. Celui qui me vole ma bourse me vole une vétille : c'est quelque chose, ce n'est rien ; elle était à moi, elle est à lui, elle a été possédée par mille autres ; mais celui qui me filoute ma bonne renommée me dérobe ce qui ne l'enrichit pas et me fait pauvre vraiment.

OTHELLO. – Par le ciel ! je veux connaître ta pensée.

IAGO. – Vous ne le pourriez pas, quand mon cœur serait dans votre main ; et vous n'y parviendrez pas, tant qu'il sera en mon pouvoir.

OTHELLO. – Ha !

IAGO. – Oh ! prenez garde, monseigneur, à la jalousie ! C'est le monstre aux yeux verts qui produit l'aliment dont il se nourrit ! Ce cocu vit en joie qui, certain de son sort, n'aime pas celle qui le trompe ; mais, oh ! quelles damnées minutes il compte, celui qui raffole, mais doute, celui qui soupçonne, mais aime éperdument !

OTHELLO. – Ô misère !

IAGO. – Le pauvre qui est content est riche ; et riche à foison ; mais la richesse sans bornes est plus pauvre que l'hiver pour celui qui craint toujours de devenir pauvre. Cieux cléments, préservez de la jalousie les âmes de toute ma tribu !

OTHELLO. – Allons ! à quel propos ceci ? Crois-tu que j'irais me faire une vie de jalousie, pour suivre incessamment tous les changements de lune à la remorque de nouveaux soupçons ? Non ! Pour moi, être dans le doute, c'est être résolu... Échange-moi contre un bouc, le jour où j'occuperai mon âme de ces soupçons exagérés et creux qu'implique ta conjecture. On ne me rendra pas jaloux en disant que ma femme est jolie, friande, aime la compagnie, a le parler libre, chante, joue et danse bien ! Là où est la vertu, ce sont autant de vertus nouvelles. Ce n'est pas non plus la faiblesse de mes propres mérites qui me fera concevoir la moindre crainte, le moindre doute sur sa fidélité, car elle avait des yeux, et elle m'a choisi !... Non, Iago ! Avant de douter, je veux voir. Après le doute, la preuve ! et, après la preuve, mon parti est pris : adieu à la fois l'amour et la jalousie !

IAGO. – J'en suis charmé ; car je suis autorisé maintenant à vous montrer mon affection et mon dévouement pour vous avec moins de réserve. Donc, puisque j'y suis tenu, recevez de moi cette confidence... Je ne parle pas encore de preuve... Veillez sur votre femme, observez-la bien avec Cassio, portez vos regards sans jalousie comme sans sécurité ; je ne voudrais pas que votre franche et noble nature fût victime de sa générosité même... Veillez-y ! Je connais bien les mœurs de notre contrée. A Venise, les femmes laissent voir au ciel les fredaines qu'elles n'osent pas montrer à leurs maris ; et, pour elles, le cas de conscience, ce n'est pas de s'abstenir de la chose, c'est de la tenir cachée.

OTHELLO. – Est-ce là ton avis ?

IAGO. – Elle a trompé son père en vous épousant ; et c'est quand elle semblait trembler et craindre vos regards qu'elle les aimait le plus.

OTHELLO. – C'est vrai.

IAGO. – Eh bien ! concluez alors. Celle qui, si jeune, a pu jouer un pareil rôle et tenir les yeux de son père comme sous le chaperon d'un faucon, car il a cru qu'il y avait magie... Mais je suis bien blâmable ; j'implore humblement votre pardon pour vous trop aimer.

OTHELLO. – Je te suis obligé à tout jamais.

IAGO. – Je le vois, ceci a un peu déconcerté vos esprits.

OTHELLO. – Non, pas du tout ! pas du tout !

IAGO. – Sur ma foi ! j'en ai peur. Vous considérerez, j'espère, ce que je vous ai dit comme émanant de mon affection... Mais je vois que vous êtes ému : je dois vous prier de ne pas donner à mes paroles une conclusion plus grave, une portée plus large que celle du soupçon.

OTHELLO. – Non, certes.

IAGO. – Si vous le faisiez, monseigneur, mes paroles obtiendraient un succès odieux auquel mes pensées n'aspirent pas... Cassio est mon digne ami... Monseigneur, je vois que vous êtes ému.

OTHELLO. – Non, pas très ému. Je ne pense pas que Desdémona ne soit pas honnête.

IAGO. – Qu'elle vive longtemps ainsi ! Et puissiez-vous vivre longtemps à la croire telle !

OTHELLO. – Et cependant comme une nature dévoyée...

IAGO. – Oui, voilà le point. Ainsi, à vous parler franchement, avoir refusé tant de partis qui se proposaient et qui avaient avec elle toutes ces affinités de patrie, de race et de rang, dont tous les êtres sont naturellement si avides ! Hum ! cela décèle un goût bien corrompu, une affreuse dépravation, des pensées dénaturées... Mais pardon ! Ce n'est pas d'elle précisément que j'entends parler ; tout ce que je puis craindre, c'est que, son goût revenant à des inclinations plus normales, elle ne finisse par vous comparer aux personnes de son pays et (peut-être) par se repentir.

OTHELLO. – Adieu ! adieu ! Si tu aperçois du nouveau, fais-le-moi savoir. Mets ta femme en observation... Laisse-moi, Iago.

IAGO. – Monseigneur, je prends congé de vous. *(Il va pour s'éloigner.)*

OTHELLO. – Pourquoi me suis-je marié ? Cet honnête garçon, à coup sûr, en voit et en sait plus, beaucoup plus qu'il n'en révèle.

IAGO, *revenant.* – Monseigneur, je voudrais pouvoir décider Votre Honneur à ne pas sonder plus avant cette affaire. Laissez agir le temps. Il est bien juste que Cassio reprenne son emploi, car assurément il le remplit avec une grande habileté ; pourtant, s'il vous plaît de le tenir quelque temps encore en suspens, vous pourrez juger l'homme et les moyens qu'il emploie. Vous remarquerez si votre femme insiste sur sa rentrée au service par quelque vive et pressante réclamation... Bien des choses peuvent se voir par là. En attendant, croyez que je suis exagéré dans mes craintes, comme j'ai de bonnes raisons pour craindre de l'être ; et laissez-la entièrement libre, j'en conjure Votre Honneur.

OTHELLO. – Ne doute pas de ma modération.

IAGO. – Encore une fois je prends congé de vous. *(Il sort.)*

OTHELLO. – Ce garçon est d'une honnêteté excessive, et il connaît, par expérience, tous les ressorts des actions humaines... Ah ! mon oiseau, si tu es rebelle au fauconnier, quand tu serais attaché à toutes les fibres de mon cœur, je te chasserai dans un sifflement et je t'abandonnerai au vent pour chercher ta proie au hasard !... Peut-être, parce que je suis noir, et que je n'ai pas dans la conversation les formes souples des intrigants, ou bien parce que j'incline vers la vallée des années ; oui, peut-être, pour si peu de chose, elle est perdue ! Je suis outragé ! et la consolation qui me reste, c'est de la mépriser. Ô malédiction du mariage, que nous puissions appeler nôtres ces délicates créatures et non pas leurs appétits ! J'aimerais mieux être un crapaud et vivre des vapeurs d'un cachot que de laisser un coin dans l'être que j'aime à l'usage d'autrui ! Voilà pourtant le fléau des grands ; ils sont moins privilégiés que les petits. C'est là une destinée inévitable comme la mort : le fléau cornu nous est réservé fatalement dès que nous prenons vie... Voici Desdémona qui vient.

Entrent Desdémona et Émilia.

Si elle me trompe, oh ! c'est que le ciel se moque de lui-même !
Je ne veux pas le croire.

DESDÉMONA. – Eh bien, mon cher Othello ! Votre dîner et les
nobles insulaires par vous invités attendent votre présence.

OTHELLO. – Je suis dans mon tort.

DESDÉMONA. – Pourquoi votre voix est-elle si défaillante ?
Est-ce que vous n'êtes pas bien ?

OTHELLO. – J'ai une douleur au front, ici.

DESDÉMONA. – C'est sans doute pour avoir trop veillé. Cela se
passera. Laissez-moi vous bander le front avec ceci : dans une
heure, tout ira bien. *(Elle lui met son mouchoir autour du front.)*

OTHELLO. – Votre mouchoir est trop petit. *(Il défait le mouchoir, qui tombe à terre.)* Ne vous occupez pas de ça. Venez, je
vais avec vous.

DESDÉMONA. – Je suis bien fâchée que vous ne soyez pas bien.
(Sortent Desdémona et Othello.)

ÉMILIA, *ramassant le mouchoir.* – Je suis bien aise d'avoir
trouvé ce mouchoir. C'est le premier souvenir qu'elle ait eu du
More. Mon maussade mari m'a cent fois cajolée pour que je le
vole ; mais elle aime tant ce gage (car l'autre l'a conjurée de le
garder toujours) qu'elle le porte sans cesse sur elle pour le baiser
et lui parler. J'en ferai ouvrir un pareil que je donnerai à Iago.
Ce qu'il en fera, le ciel le sait, mais pas moi. Je ne veux rien que
satisfaire sa fantaisie.

Entre Iago.

IAGO. – Eh bien ! que faites-vous seule ici ?

ÉMILIA. – Ne me grondez pas : j'ai quelque chose pour vous.

IAGO. – Quelque chose pour moi ? C'est une chose fort com-
mune...

ÉMILIA. – Ha !

IAGO. – Que d'avoir une femme sotte.

ÉMILIA. – Oh ! est-ce là tout ? Que voulez-vous me donner à
présent pour certain mouchoir ?

IAGO. – Quel mouchoir ?

ÉMILIA. – Quel mouchoir ? Eh ! mais celui qu'Othello offrit en
premier présent à Desdémona, et que si souvent vous m'avez dit
de voler.

IAGO. – Tu le lui as volé ?

ÉMILIA. – Non, ma foi ! Elle l'a laissé tomber par négligence ;
et par bonheur, comme j'étais là, je l'ai ramassé. Tenez, le voici.
(Elle lui montre le mouchoir.)

IAGO. – Voilà une bonne fille !... Donne-le-moi.

ÉMILIA. – Qu'en voulez-vous faire, pour m'avoir si instamment pressée de le dérober ?

IAGO, *escamotant le mouchoir.* – Eh bien ! que vous importe ?

ÉMILIA. – Si ce n'est pas pour quelque usage sérieux, rendez-le-moi. Pauvre dame ! Elle deviendra folle quand elle ne le trouvera plus.

IAGO. – Faites comme si vous ne saviez rien. J'ai l'emploi de ceci. Allez ! laissez-moi. *(Émilia sort.)* Je veux perdre ce mouchoir chez Cassio et le lui faire trouver. Des babioles, légères comme l'air, sont pour les jaloux des confirmations aussi fortes que des preuves d'Écriture sainte : ceci peut faire quelque chose. Le More change déjà sous l'influence de mon poison. Les idées funestes sont, par leur nature, des poisons qui d'abord font à peine sentir leur mauvais goût, mais qui, dès qu'ils commencent à agir sur le sang, brûlent comme des mines de soufre... Je ne me trompais pas ! Tenez, le voici qui vient !... Ni le pavot, ni la mandragore, ni tous les sirops narcotiques du monde ne te rendront jamais ce doux sommeil que tu avais hier.

Entre Othello.

OTHELLO. – Ha ! ha ! fausse envers moi ! Envers moi !

IAGO. – Allons ! qu'avez-vous, général ? Ne pensez plus à cela.

OTHELLO. – Arrière ! va-t'en ! tu m'as mis sur la roue ! Ah ! je le jure, il vaut mieux être trompé tout à fait que d'avoir le moindre soupçon.

IAGO. – Qu'y a-t-il, monseigneur ?

OTHELLO. – Quel sentiment avais-je des heures de luxure qu'elle me volait ? Je ne le voyais pas, je n'y pensais pas, je n'en souffrais pas ! Je dormais bien chaque nuit ; j'étais libre et joyeux ! Je ne retrouvais pas sur ses lèvres les baisers de Cassio ! Que celui qui est volé ne s'aperçoive pas du larcin, qu'il n'en sache rien, et il n'est pas volé du tout.

IAGO. – Je suis fâché d'entendre ceci.

OTHELLO. – J'aurais été heureux quand le camp tout entier, jusqu'au dernier pionnier, aurait goûté son corps charmant, si je n'en avais rien su. Oh ! maintenant pour toujours adieu l'esprit tranquille ! adieu le contentement ! adieu les troupes empanachées et les grandes guerres qui font de l'ambition une vertu ! Oh ! adieu ! adieu le coursier qui hennit, et la stridente trompette, et l'encourageant tambour, et le fifre assourdissant ! Adieu la bannière royale et toute la beauté, l'orgueil, la pompe et l'attirail de la guerre glorieuse ! Et vous, instruments de guerre dont les gorges rudes contrefont les clameurs redoutées de l'immortel Jupiter, adieu ! La tâche d'Othello est finie !

IAGO. – Est-il possible, monseigneur ?

OTHELLO. – Misérable, tu me prouveras que ma bien-aimée est une putain ! N'y manque pas, n'y manque pas ! Donne-moi la preuve oculaire ou bien *(saisissant Iago à la gorge)* par le salut de mon âme éternelle ! il eût mieux valu pour toi être né chien que d'avoir à répondre à ma fureur en éveil !

IAGO. – En est-ce donc venu là ?

OTHELLO. – Fais-moi voir la chose, ou du moins prouve-la-moi si bien que la preuve ne porte ni charnière ni tenon auquel puisse s'accrocher un doute ; sinon, malheur à ta vie !

IAGO. – Mon noble maître !

OTHELLO. – Si tu la calomnies et si tu me tortures, cesse à jamais de prier, renonce à toute conscience, accumule les horreurs sur la tête de l'horreur, commets des actions à faire pleurer le ciel et à épouvanter toute la terre, tu ne pourras rien ajouter à ta damnation de plus énorme que cela !

IAGO. – Ô grâce divine ! Ô ciel, défendez-moi !... Êtes-vous un homme ?... Avez-vous une âme ou quelque sentiment ? Dieu soit avec vous ! Reprenez-moi mon emploi !... Ô misérable niais, qui as vécu pour voir ton honnêteté transformée en vice ! Ô monde monstrueux ! sois témoin, sois témoin, ô monde, qu'il y a danger à être franc et honnête !... Je vous remercie de la leçon, et, à l'avenir, je n'aimerai plus un seul ami, puisque l'amitié provoque de telles offenses ! *(Il va pour se retirer.)*

OTHELLO. – Non ! demeure... Tu dois être honnête !

IAGO. – Je devrais être raisonnable ; car l'honnêteté est une folle qui s'aliène ceux qu'elle sert.

OTHELLO. – Par l'univers ! je crois que ma femme est honnête et crois qu'elle ne l'est pas ; je crois que tu es probe et crois que tu ne l'es pas ; je veux avoir quelque preuve. Son nom, qui était pur comme le visage de Diane, est maintenant terni et noir comme ma face !... S'il y a encore des cordes ou des couteaux, des poisons ou du feu ou des flots suffocants, je n'endurerai pas cela ! Oh ! avoir la certitude !

IAGO. – Je vois, monsieur, que vous êtes dévoré par la passion, et je me repens de l'avoir excitée en vous. Vous voudriez avoir la certitude ?

OTHELLO. – Le voudrais-je ? Non ! je le veux.

IAGO. – Vous le pouvez. Mais, comment ? Quelle certitude vous faut-il, monseigneur ? Voudriez-vous assister, bouche béante, à un grossier flagrant délit, et la regarder saillir par l'autre ?

OTHELLO. – Mort et damnation ! Oh !

IAGO. – Ce serait une entreprise difficile, je crois, que de les amener à donner ce spectacle. Au diable si jamais ils se font voir sur l'oreiller par d'autres yeux que les leurs ! Quoi donc ? Quelle certitude voulez-vous ? Que dirai-je ? Où trouverez-vous la conviction ? Il est impossible que vous voyiez cela, fussent-ils aussi pressés que des boucs, aussi chauds que des singes, aussi lascifs que des loups en rut, et les plus grossiers niais que l'ignorance ait rendus ivres. Mais pourtant, je le reconnais, si la probabilité, si les fortes présomptions qui mènent directement à la porte de la vérité suffisent à donner la certitude, vous pouvez l'avoir.

OTHELLO. – Donne-moi une preuve vivante qu'elle est déloyale.

IAGO. – Je n'aime pas cet office-là ; mais, puisque je suis entré si avant dans cette cause, poussé par une honnêteté et un dévouement stupides, je continuerai... Dernièrement, j'étais couché avec Cassio, et, tourmenté d'une rage de dents, je ne pouvais dormir. Il y a une espèce d'hommes si débraillés dans l'âme qu'ils marmottent leurs affaires pendant leur sommeil. De cette espèce est Cassio. Tandis qu'il dormait, je l'ai entendu dire : *Suave Desdémona, soyons prudents ! cachons nos amours !* Et alors, monsieur, il m'empoignait, et m'étreignait la main, en s'écriant : *Ô suave créature !* Et alors il me baisait avec force comme pour arracher par les racines des baisers éclos sur mes lèvres ; il posait sa jambe sur ma cuisse, et soupirait, et me baisait, et criait alors : *Maudite fatalité qui t'a donnée au More !*

OTHELLO. – Oh ! monstrueux ! monstrueux !

IAGO. – Non ! ce n'était que son rêve.

OTHELLO. – Mais il dénonçait un fait accompli. C'est un indice néfaste, quoique ce ne soit qu'un rêve.

IAGO. – Et cela peut donner corps à d'autres preuves qui n'ont qu'une mince consistance.

OTHELLO. – Je la mettrai toute en pièces !

IAGO. – Non ! soyez calme ! Nous ne voyons encore rien de fait : elle peut être honnête encore. Dites-moi seulement ! avez-vous quelquefois vu un mouchoir brodé de fraises aux mains de votre femme ?

OTHELLO. – Je lui en ai donné un comme tu dis ; ç'a été mon premier présent.

IAGO. – Je ne le savais pas. C'est avec un mouchoir pareil (il est à votre femme, j'en suis sûr) que j'ai aujourd'hui vu Cassio s'essuyer la barbe.

OTHELLO. – Si c'est celui-là !...

IAGO. – Que ce soit celui-là ou un autre, s'il lui appartient, c'est une nouvelle preuve qui parle contre elle.

OTHELLO. – Oh ! si ce gueux du moins avait quarante mille vies ! Une seule est trop misérable, trop chétive pour ma vengeance ! Je le vois maintenant : c'est vrai !... Écoute, Iago ! tout mon fol amour, je le souffle comme ceci à la face du ciel : il a disparu. Surgis, noire vengeance, du fond de ton enfer ! Cède, ô amour, la couronne et le trône de ce cœur à la tyrannique haine ! Gonfle-toi, mon sein : car ce que tu renfermes n'est que langues d'aspics !

IAGO. — Je vous en prie, calmez-vous.

OTHELLO. — Oh ! du sang ! du sang ! du sang !

IAGO. — Patience, vous dis-je ! Vos idées peuvent changer.

OTHELLO. — Jamais, Iago ! De même que la mer Pontique, dont le courant glacial et le cours forcé ne subissent jamais le refoulement des marées, se dirige sans cesse vers la Propontide et l'Hellespont, de même mes pensées de sang, dans leur marche violente, ne regarderont jamais en arrière. Jamais elles ne reflue-ront vers l'humble amour, mais elles iront s'engloutir dans une profonde et immense vengeance. Oui, par le ciel de marbre qui est là-haut ! au juste respect de ce vœu sacré j'engage ici ma parole. *(Il tombe à genoux.)*

IAGO. — Ne vous levez pas encore ! *(Il s'agenouille.)* Soyez témoins, vous, lumières toujours brûlantes au-dessus de nous ; vous, éléments qui nous pressez de toutes parts ! Soyez témoins qu'ici Iago voue l'activité de son esprit, de son bras, de son cœur au service d'Othello outragé. Qu'il commande ! et l'obéissance sera de ma part tendresse d'âme, quelque sanglants que soient ses ordres. *(Ils se relèvent.)*

OTHELLO. — Je salue ton dévouement, non par de vains remer-ciements, mais par une reconnaissante acceptation, et je vais dès à présent te mettre à l'épreuve : avant trois jours, viens m'apprendre que Cassio n'est plus vivant.

IAGO. — Mon ami est mort : c'est fait à votre requête. Mais elle, qu'elle vive !

OTHELLO. — Damnation sur elle, l'impudique coquine ! Oh ! damnation sur elle ! Allons, éloignons-nous d'ici ! Je me retire afin de me procurer des moyens de mort rapides pour le char-mant démon. A présent, tu es mon lieutenant.

IAGO. — Je suis vôtre pour toujours. *(Ils sortent.)*

SCÈNE IV

Devant le château.

Entrent DESDÉMONA, ÉMILIA *et* LE CLOWN.

DESDÉMONA, *au clown.* — Drôle, connaissez-vous l'adresse du lieutenant Cassio ?

LE CLOWN. – Son adresse ? Je n'oserais pas en douter.

DESDÉMONA. – Qu'est-ce à dire, l'ami ?

LE CLOWN. – Cassio est soldat. Or, si je doutais de son adresse, il pourrait bien me la prouver par un coup d'estoc.

DESDÉMONA. – Allons ! où demeure-t-il ?

LE CLOWN. – Si je vous indiquais sa demeure, je vous mettrais dedans.

DESDÉMONA. – Quel sens cela a-t-il ?

LE CLOWN. – Je ne sais pas où il demeure ; et si j'imaginais un logis en vous disant : « Il demeure ici ou il demeure là », est-ce que je ne vous mettrais pas dedans ?

DESDÉMONA. – Pourriez-vous vous enquérir de lui et obtenir des renseignements sur son compte ?

LE CLOWN. – Je vais, à son sujet, interroger tout le monde... comme au catéchisme : mes questions dicteront les réponses.

DESDÉMONA. – Trouvez-le, et dites-lui de venir ici ; annoncez-lui que j'ai touché monseigneur en sa faveur et que j'espère que tout ira bien.

LE CLOWN. – Ce que vous me demandez est dans les limites d'une intelligence humaine : je vais en conséquence essayer de le faire. *(Il sort.)*

DESDÉMONA. – Où puis-je avoir perdu ce mouchoir, Émilia ?

ÉMILIA. – Je ne sais pas, madame.

DESDÉMONA. – Crois-moi, j'aimerais mieux avoir perdu ma bourse pleine de cruzades. Heureusement que le noble More est une âme droite et qu'il n'a rien de cette bassesse dont sont faites les créatures jalouses ! Sinon, c'en serait assez pour lui donner de vilaines idées.

ÉMILIA. – Est-ce qu'il n'est pas jaloux ?

DESDÉMONA. – Qui ? lui ? Je crois que le soleil sous lequel il est né a extrait de lui toutes ces humeurs-là.

ÉMILIA. – Tenez ! le voici qui vient.

DESDÉMONA. – Maintenant je ne le laisserai plus que Cassio ne soit rappelé près de lui...

Entre Othello.

Comment cela va-t-il, monseigneur ?

OTHELLO. – Bien, ma chère dame... *(A part.)* Oh ! que de peine à dissimuler ! Comment êtes-vous, Desdémona ?

DESDÉMONA. – Bien, mon cher seigneur.

OTHELLO. – Donnez-moi votre main... Cette main est moite, madame.

DESDÉMONA. – Elle n'a pas encore senti l'âge ni connu le chagrin.

OTHELLO. – Ceci annonce de l'exubérance et un cœur libéral :

chaude, chaude et moite ! Cette main-là exige le renoncement à la liberté, le jeûne, la prière, une longue mortification, de pieux exercices ; car il y a ici un jeune diable tout en sueur, qui a l'habitude de se révolter... C'est une bonne main, une main franche.

DESDÉMONA. – Vous pouvez vraiment le dire car c'est cette main qui a donné mon cœur.

OTHELLO. – Une main libérale !... Jadis c'étaient les cœurs qui donnaient les mains ; mais, dans nos nouveaux blasons, rien que des mains, pas de cœurs !

DESDÉMONA. – Je ne sais rien de tout cela... Revenons à votre promesse.

OTHELLO. – Quelle promesse, poulette ?

DESDÉMONA. – J'ai envoyé dire à Cassio de venir vous parler.

OTHELLO. – J'ai un méchant rhume opiniâtre qui me gêne : prête-moi ton mouchoir.

DESDÉMONA. – Voici, monseigneur.

OTHELLO. – Celui que je vous ai donné.

DESDÉMONA. – Je ne l'ai pas sur moi.

OTHELLO. – Non ?

DESDÉMONA. – Non, ma foi ! monseigneur.

OTHELLO. – C'est une faute. Ce mouchoir, une Égyptienne le donna à ma mère... C'était une charmeresse qui pouvait presque lire les pensées des gens : elle lui dit que, tant qu'elle le garderait, elle aurait le don de plaire et de soumettre entièrement mon père à ses amours ; mais que, si elle le perdait ou en faisait présent, mon père ne la regarderait plus qu'avec dégoût et mettrait son cœur en chasse de fantaisies nouvelles. Ma mère me le remit en mourant et me recommanda, quand la destinée m'unirait à une femme, de le lui donner. C'est ce que j'ai fait. Ainsi, prenez-en soin ; qu'il vous soit aussi tendrement précieux que votre prunelle ! l'égarer ou le donner, ce serait une catastrophe qui n'aurait point d'égale.

DESDÉMONA. – Est-il possible ?

OTHELLO. – C'est la vérité. Il y a une vertu magique dans le tissu ; une sibylle qui avait compté en ce monde deux cents révolutions de soleil en a brodé le dessin dans sa prophétique fureur ; les vers qui en ont filé la soie étaient consacrés ; et la teinture qui le colore est faite de cœurs de vierges momifiés qu'avait conservés son art.

DESDÉMONA. – Sérieusement ? est-ce vrai ?

OTHELLO. – Très véritable. Ainsi, veillez-y bien.

DESDÉMONA. – Plût au ciel alors que je ne l'eusse jamais vu !

OTHELLO, *vivement*. – Ah ! pour quelle raison ?

DESDÉMONA. – Pourquoi me parlez-vous d'un ton si brusque et si violent ?

OTHELLO. – Est-ce qu'il est perdu ? Est-ce que vous ne l'avez plus ? Parlez ! Est-ce qu'il n'est plus à sa place ?

DESDÉMONA. – Le ciel nous bénisse !

OTHELLO. – Vous dites ?

DESDÉMONA. – Il n'est pas perdu. Mais quoi ! s'il l'était ?

OTHELLO. – Ha !

DESDÉMONA. – Je dis qu'il n'est pas perdu.

OTHELLO. – Cherchez-le ! faites-le-moi voir.

DESDÉMONA. – Je le pourrais, monsieur, mais je ne veux pas à présent. C'est une ruse pour me distraire de ma requête. Je vous en prie, que Cassio soit rappelé.

OTHELLO. – Cherchez-moi ce mouchoir ! Mon âme s'alarme.

DESDÉMONA. – Allez, allez ! vous ne rencontrerez jamais un homme plus capable.

OTHELLO. – Le mouchoir !

DESDÉMONA. – Je vous en prie, causons de Cassio !

OTHELLO. – Le mouchoir !

DESDÉMONA. – Un homme qui, de tout temps, a fondé sa fortune sur votre affection, qui a partagé vos dangers...

OTHELLO. – Le mouchoir !

DESDÉMONA. – En vérité ! vous êtes à blâmer.

OTHELLO. – Arrière ! *(Il sort précipitamment.)*

ÉMILIA. – Cet homme-là n'est pas jaloux ?

DESDÉMONA. – Je ne l'avais jamais vu ainsi. Pour sûr, il y a du miracle dans ce mouchoir. Je suis bien malheureuse de l'avoir perdu !

ÉMILIA. – Ce n'est pas un an ou deux qui font connaître les hommes. Ils ne sont tous que des estomacs pour qui nous ne sommes toutes que des aliments : ils nous mangent comme des affamés, et, dès qu'ils sont pleins, ils nous renvoient... Ah ! voici Cassio et mon mari.

Entrent Cassio et Iago.

IAGO. – Il n'y a pas d'autre moyen : c'est elle qui doit le faire. Et tenez ! l'heureux hasard ! Allez, importunez-la !

DESDÉMONA. – Eh bien ! bon Cassio, quoi de nouveau avec vous ?

CASSIO. – Madame, toujours ma requête ! Je vous en supplie, faites, par votre vertueuse entremise, que je puisse revivre en recouvrant l'affection de celui à qui je voue respectueusement tout le dévouement de mon cœur. Ah ! plus de délai ! Si ma faute est d'une espèce si mortelle que mes services passés, ma douleur présente, mes bonnes résolutions pour l'avenir soient une rançon insuffisante à nous réconcilier, que je le sache du moins ! et cette certitude aura encore pour moi son avantage. Alors, je me draperai dans une résignation forcée, et j'attendrai, cloîtré dans quelque autre carrière, l'aumône de la Fortune.

DESDÉMONA. – Hélas ! trois fois loyal Cassio, mon intercession détonne pour le moment ; monseigneur n'est plus monseigneur ; et je ne le reconnaîtrais pas, s'il était, aussi changé de visage que d'humeur. Puissé-je être protégée par tous les esprits sanctifiés, comme vous avez été défendu par moi ! J'ai même provoqué le feu de sa colère par mon franc-parler. Il faut que vous patientiez encore un peu ; ce que je puis faire, je veux le faire, et je veux pour vous plus que je n'oserais pour moi-même. Que cela vous suffise !

IAGO. – Est-ce que monseigneur s'est irrité ?

ÉMILIA. – Il vient de partir à l'instant, et, certainement, dans une étrange agitation.

IAGO. – Lui, s'irriter !... J'ai vu le canon faire sauter en l'air les rangées de ses soldats, et, comme le diable, lui arracher de ses bras mêmes son propre frère ; et je me demande s'il peut s'irriter. C'est quelque chose de grave alors. Je vais le trouver. Il faut que ce soit vraiment sérieux, s'il est irrité.

DESDÉMONA. – Je t'en prie, va ! *(Iago sort.)* A coup sûr, c'est quelque affaire d'État : une nouvelle de Venise, ou quelque complot tout à coup déniché ici dans Chypre même, et à lui révélé, aura troublé son esprit limpide. En pareil cas, il est dans la nature des hommes de quereller pour de petites choses, bien que les grandes seules les préoccupent. C'est toujours ainsi : qu'un doigt vous fasse mal, et il communiquera même aux autres parties saines le sentiment de la douleur. D'ailleurs, songeons-y ! les hommes ne sont pas des dieux. Nous ne devons pas toujours attendre d'eux les prévenances qui sont de rigueur au jour des noces... Gronde-moi bien, Émilia : j'ai osé, soldat indiscipliné que je suis, l'accuser dans mon âme d'un manque d'égards ; mais maintenant je trouve que j'avais suborné le témoin et qu'il est injustement mis en cause.

ÉMILIA. – Priez le ciel que ce soit, comme vous pensez, quelque affaire d'État, et non une idée, une lubie jalouse qui vous concerne.

DESDÉMONA. – Malheureux le jour où cela serait ! Jamais je ne lui en ai donné de motif.

ÉMILIA. – Mais les cœurs jaloux ne se payent pas de cette réponse ; ils ne sont pas toujours jaloux pour le motif ; ils sont jaloux, parce qu'ils sont jaloux. C'est un monstre engendré de lui-même, né de lui-même.

DESDÉMONA. – Que le ciel éloigne ce monstre de l'esprit d'Othello !

ÉMILIA. – Amen, madame !

DESDÉMONA. – Je vais le chercher... Cassio, promenez-vous par ici ; si je le trouve bien disposé, je plaiderai votre cause, et je ferai tout mon possible pour la gagner.

CASSIO. – Je remercie humblement Votre Grâce. *(Sortent Desdémona et Émilia.)*

Entre Bianca.

BIANCA. – Dieu vous garde, ami Cassio !

CASSIO. – Vous, dehors ! Quelle raison vous amène ? Comment cela va-t-il, ma très jolie Bianca ? Sur ma parole ! doux amour, j'allais à votre maison.

BIANCA. – Et, moi, j'allais à votre logis, Cassio. Quoi ! toute une semaine loin de moi ! Sept jours et sept nuits ! Cent soixante heures ! Et les heures d'absence d'un amant sont cent soixante fois plus longues que les heures du cadran. Oh ! le pénible calcul !

CASSIO. – Pardonnez-moi, Bianca. Des pensées de plomb ont pesé sur moi tous ces temps-ci ; mais, dès que j'aurai plus de loisir, je vous payerai les arrérages de l'absence. Chère Bianca, faites-moi un double de ce travail. *(Il lui donne le mouchoir de Desdémona.)*

BIANCA. – Oh ! Cassio, comment ceci est-il entre vos mains ? C'est quelque gage d'une nouvelle amie. Je sens maintenant la cause de cette absence trop sentie. En est-ce déjà venu là ? C'est bon ! c'est bon !

CASSIO. – Allons ! femme, jetez vos viles suppositions à la dent du diable de qui vous les tenez. Vous voilà jalouse à l'idée que c'est quelque souvenir de quelque maîtresse. Non, sur ma parole, Bianca !

BIANCA. – Eh bien ! à qui est-il ?

CASSIO. – Je ne sais pas, ma charmante ! Je l'ai trouvé dans ma chambre. J'en aime le travail : avant qu'il soit réclamé, comme il est probable qu'il le sera, je voudrais avoir le pareil. Prenez-le, copiez-le, et laissez-moi pour le moment.

BIANCA. – Vous laisser ! Pourquoi ?

CASSIO. – J'attends ici le général ; et ce n'est pas une recommandation désirable pour moi qu'il me trouve en compagnie féminine.

BIANCA. – Et pourquoi ? je vous prie !

CASSIO. – Ce n'est pas que je ne vous aime pas.

BIANCA. – Mais c'est que vous ne m'aimez point. Je vous en

prie, reconduisez-moi quelques pas, et dites-moi si je vous verrai de bonne heure ce soir.

CASSIO. – Je ne puis vous reconduire bien loin : c'est ici que j'attends ; mais je vous verrai bientôt.

BIANCA. – C'est fort bien. Il faut que je cède aux circonstances ! *(Ils sortent.)*

ACTE IV

SCÈNE PREMIÈRE

Devant le château.

Entrent OTHELLO *et* IAGO.

IAGO. – Le croyez-vous ?

OTHELLO. – Si je le crois, Iago !

IAGO. – Quoi ! donner un baiser en secret !

OTHELLO. – Un baiser usurpé !

IAGO. – Ou rester au lit toute nue avec son ami, une heure ou plus, sans songer à mal !

OTHELLO. – Rester toute nue avec un ami, Iago, sans songer à mal ! C'est user d'hypocrisie avec le diable. Ceux qui n'ont que des pensées vertueuses et qui s'exposent ainsi tentent le ciel en voulant que le diable tente leur vertu.

IAGO. – S'ils s'abstiennent, ce n'est qu'une faute vénielle. Mais si je donne à ma femme un mouchoir...

OTHELLO. – Eh bien ! après ?

IAGO. – Eh bien ! il est à elle, monseigneur ; et, comme il est à elle, elle peut, je pense, en faire cadeau à n'importe quel homme.

OTHELLO. – Elle est gardienne de son honneur aussi : peut-elle le donner ?

IAGO. – L'honneur est une essence qui ne se voit pas ; beaucoup semblent l'avoir, qui ne l'ont plus. Mais pour le mouchoir...

OTHELLO. – Par le ciel ! je l'aurais oublié bien volontiers. Tu dis... Oh ! cela revient sur ma mémoire, comme sur une maison infectée le corbeau de mauvais augure !... Tu dis qu'il avait mon mouchoir ?

IAGO. – Oui ! Qu'est-ce que cela fait ?

OTHELLO. – C'est bien plus grave, alors.

IAGO. – Eh quoi ! si je vous disais que je l'ai vu vous faire outrage, que je l'ai entendu dire... Il est de par le monde des marauds qui, après avoir, à force d'importunités, ou par suite d'un caprice spontané qu'ils inspirent, entraîné ou séduit une femme, ne peuvent s'empêcher de bavarder ensuite...

OTHELLO. – Est-ce qu'il a dit quelque chose ?

IAGO. – Oui, monseigneur ; mais, soyez-en sûr, rien qu'il ne soit prêt à nier sous serment.

OTHELLO. – Qu'a-t-il dit ?

IAGO. – Ma foi ! qu'il avait eu... je ne sais quoi.

OTHELLO. – Quoi ? quoi ?

IAGO. – Certaine conversation...

OTHELLO. – Avec elle ?

IAGO. – Avec elle ! sur elle ! comme vous voudrez.

OTHELLO. – Avec elle ! sur elle ! Une conversation sur elle pourrait n'être qu'une causerie à son sujet ; mais une conversation avec elle serait criminelle !... Le mouchoir !... cet aveu !... Le mouchoir !... Lui faire avouer, et puis lui mettre la corde au cou ! Non ! D'abord lui mettre la corde au cou, et puis lui faire avouer... J'en frissonne... Une nature ne se laisserait pas envahir ainsi par l'ombre de la passion sans quelque grande cause... Ce ne sont pas des mots qui m'agitent comme cela... Pish !... Nez, oreilles et lèvres ! Est-il possible ?... L'aveu !... le mouchoir !... Ô diable ! *(Il tombe évanoui.)*

IAGO. – Travaille, ma médecine, travaille ! C'est ainsi qu'on attrape les niais crédules, et c'est encore ainsi que plus d'une dame digne et chaste, malgré toute son innocence, est exposée au reproche.

Entre Cassio.

Holà ! Monseigneur ! Monseigneur ! Othello !... Ah ! c'est vous, Cassio ?

CASSIO. – Qu'y a-t-il ?

IAGO. – Monseigneur est tombé en épilepsie. C'est sa seconde attaque ; il en a eu une hier.

CASSIO. – Frottez-lui les tempes.

IAGO. – Non, laissez-le. La léthargie doit avoir son cours tranquille ; sinon, l'écume lui viendrait à la bouche, et tout à l'heure il éclaterait en folie furieuse... Tenez ! il remue. Éloignez-vous un moment ; il va revenir à lui ; quand il sera parti, je voudrais causer avec vous d'une importante affaire. *(Sort Cassio.)* Comment cela va-t-il, général ? Est-ce que vous ne vous êtes pas blessé à la tête ?

OTHELLO. – Te moques-tu de moi ?

IAGO. – Me moquer de vous ! Non, par le ciel ! Je voudrais seulement vous voir subir votre sort comme un homme.

OTHELLO. – Un homme qui porte cornes n'est qu'un monstre et une bête.

IAGO. – Il y a bien des bêtes alors dans une ville populeuse, et bien des monstres civilisés.

OTHELLO. – A-t-il avoué ?

IAGO. – Mon bon monsieur, soyez un homme. Songez que tout confrère barbu, attelé à ce joug-là, peut le traîner comme vous ; il y a des millions de vivants qui reposent nuitamment dans un lit banal qu'ils jureraient être à eux seuls. Votre cas est meilleur. Oh ! sarcasme de l'enfer, suprême moquerie du démon ! étreindre une impudique sur une couche confiante, et la croire chaste ! Non, que je sache tout ! Et, sachant ce que je suis, je saurai comment la traiter !

OTHELLO. – Oh ! tu as raison ; cela est certain.

IAGO. – Tenez-vous un peu à l'écart, et contenez-vous dans les bornes de la patience. Tandis que vous étiez ici accablé par la douleur, émotion bien indigne d'un homme comme vous, Cassio est venu ; je l'ai éconduit en donnant de votre évanouissement une raison plausible ; je lui ai dit de revenir bientôt me parler ici : ce qu'il m'a promis. Cachez-vous en observation, et remarquez les grimaces, les moues, les signes de dédain qui vont paraître dans chaque trait de son visage ; car je vais lui faire répéter toute l'histoire : où, comment, combien de fois, depuis quelle époque et quand il en est venu aux prises avec votre femme, quand il compte y revenir. Je vous le dis, remarquez seulement ses gestes. Mais, morbleu ! de la patience ! ou je dirai que vous êtes décidément un frénétique, et non plus un homme.

OTHELLO. – Écoute, Iago ! je me montrerai le plus patient de tous les hommes, mais aussi, tu m'entends ! le plus sanguinaire.

IAGO. – Il n'y a pas de mal, pourvu que vous mettiez le temps à tout... Voulez-vous vous retirer ? *(Othello s'éloigne et se cache.)* Je vais maintenant questionner Cassio sur Bianca : une ménagère qui, en vendant ses attraits, s'achète du pain et des vêtements. Cette créature raffole de Cassio. C'est le triste sort de toute catin d'en dominer beaucoup pour être enfin dominée par un seul. Quand il entend parler d'elle, Cassio ne peut s'empêcher de rire aux éclats... Le voici qui vient.

Rentre Cassio.

A le voir sourire, Othello va devenir fou ; et son ignare jalousie va interpréter les sourires, les gestes et les insouciantes manières du pauvre Cassio tout à fait à contresens... Comment vous trouvez-vous, lieutenant ?

CASSIO. – D'autant plus mal que vous me donnez un titre dont la privation me tue.

IAGO. – Travaillez bien Desdémona, et vous êtes sûr de la

chose. *(Bas.)* Si l'affaire était au pouvoir de Bianca, *(haut)* comme vous réussiriez vite.

CASSIO, *riant.* – Hélas ! la pauvre créature !

OTHELLO, *à part.* – Voyez comme il rit déjà !

IAGO. – Je n'ai jamais connu de femme aussi amoureuse d'un homme.

CASSIO. – Hélas ! pauvre coquine ! je crois vraiment qu'elle m'aime.

OTHELLO, *à part.* – C'est cela : il s'en défend faiblement, et il rit !

IAGO. – Écoutez, Cassio ! *(Il lui parle à l'oreille.)*

OTHELLO, *à part.* – Voilà Iago qui le prie de lui tout répéter... Continue ! Bien dit ! bien dit !

IAGO. – Elle donne à entendre que vous l'épouserez ; est-ce votre intention ?

CASSIO, *éclatant.* – Ha ! ha ! ha !

OTHELLO, *à part.* – Tu triomphes, Romain ! tu triomphes !

CASSIO. – Moi, l'épouser !... Quoi ! une coureuse !... Je t'en prie, aie quelque charité pour mon esprit : ne le crois pas aussi malade... Ha ! ha ! ha !

OTHELLO, *à part.* – Oui ! oui ! oui ! oui ! au gagnant de rire.

IAGO. – Vraiment, le bruit court que vous l'épouserez.

CASSIO. – De grâce ! parlez sérieusement.

IAGO. – Je ne suis qu'un scélérat si cela n'est pas.

OTHELLO, *à part.* – Avez-vous donc compté mes jours ? Bien !

CASSIO. – C'est une invention de la guenon : si elle a l'idée que je l'épouserai, elle la tient de son amour et de ses illusions, et nullement de mes promesses.

OTHELLO, *à part.* – Iago me fait signe : c'est que l'autre commence l'histoire.

CASSIO. – Elle était ici, il n'y a qu'un moment. Elle me hante en tout lieu : j'étais l'autre jour au bord de la mer à causer avec plusieurs Vénitiens ; soudain cette folle arrive et me saute ainsi au cou. *(Cassio imite le mouvement de Bianca.)*

OTHELLO, *à part.* – En s'écriant : « Ô mon cher Cassio ! » apparemment ; c'est ce qu'indique son geste.

CASSIO. – Elle se pend et s'accroche, tout en larmes, après moi ; puis elle m'attire et me pousse. Ha ! ha ! ha ! *(Il parle bas à Iago.)*

OTHELLO, *à part.* – Maintenant, il lui raconte comment elle l'a entraîné dans ma chambre. Oh ! je vois bien votre museau, mais je ne sais quel chien je vais jeter dessus.

CASSIO. – Vraiment, il faut que je la quitte.

IAGO. – Devant moi ?... Tenez ! la voici qui vient.

Entre Bianca.

CASSIO. – C'est une maîtresse fouine, et diantrement parfumée encore. *(A Bianca.)* Qu'avez-vous donc à me hanter ainsi ?

BIANCA. – Que le diable et sa mère vous hantent vous-même !... Que me vouliez-vous avec ce mouchoir que vous m'avez remis tantôt ? J'étais une belle sotte de le prendre. Il faut que j'en fasse un tout pareil, n'est-ce pas ? Comme cela est vraisemblable que vous l'ayez trouvé dans votre chambre et que vous ne sachiez pas qui l'y a laissé !... C'est le présent de quelque donzelle, et il faudrait que je vous en fisse un pareil ?... Tenez ! donnez-le à votre poupée ; peu m'importe comment vous l'avez eu : je ne me charge de rien.

CASSIO. – Voyons ! ma charmante Bianca ! Voyons ! voyons !

OTHELLO, *à part.* – Par le ciel ! ce doit être mon mouchoir.

BIANCA. – Si vous voulez venir souper ce soir, vous le pouvez ; si vous ne voulez pas, venez dès que vous y serez disposé. *(Elle sort.)*

IAGO. – Suivez-la ! suivez-la !

CASSIO. – Ma foi ! il le faut. Sans cela elle s'emporterait dans les rues.

IAGO. – Souperez-vous chez elle ?

CASSIO. – Ma foi ! j'en ai l'intention.

IAGO. – C'est bien ! il se peut que j'aille vous voir ; car je serais bien aise de vous parler.

CASSIO. – De grâce, venez ! Voulez-vous ?

IAGO. – Partez. Il suffit. *(Cassio sort. Othello quitte sa cachette.)*

OTHELLO. – Comment le tuerai-je, Iago ?

IAGO. – Avez-vous vu comme il a ri de sa vilenie ?

OTHELLO. – Oh ! Iago !

IAGO. – Et avez-vous vu le mouchoir ?

OTHELLO. – Était-ce le mien ?

IAGO. – Par cette main levée !... Et vous voyez quel cas il fait de la folle créature, votre femme. Elle lui a donné ce mouchoir, et, lui, il l'a donné à sa putain !

OTHELLO. – Oh ! je voudrais le tuer pendant neuf ans !... Une femme si belle ! une femme si charmante ! une femme si adorable !

IAGO. – Allons ! il faut oublier cela.

OTHELLO. – Oui, qu'elle pourrisse, qu'elle disparaisse et qu'elle soit damnée dès cette nuit ! Car elle ne vivra pas ! Non. Mon cœur est changé en pierre : je le frappe, et il me blesse la main... Oh ! le monde n'a pas une plus adorable créature ! Elle était digne de reposer aux côtés d'un empereur et de lui donner des ordres !

IAGO. – Voyons ! ce n'est pas là votre affaire.

OTHELLO. – L'infâme ! Je dis seulement ce qu'elle est... Si adroite avec son aiguille !... Admirable musicienne ! Oh ! avec son chant elle apprivoiserait un ours !... Et puis, d'une intelligence, d'une imagination si élevées, si fécondes !

IAGO. – Elle n'en est que plus coupable !

OTHELLO. – Oh ! mille et mille fois plus !... En outre, d'un caractère si affable !

IAGO. – Trop affable, vraiment !

OTHELLO. – Oui, cela est certain. Mais quel malheur, Iago ! Oh ! Iago ! quel malheur, Iago !

IAGO. – Si vous êtes si tendre à son iniquité, donnez-lui patente pour faire le mal ; car, si cela ne vous touche pas, cela ne gêne personne.

OTHELLO. – Je la hacherai en miettes !... Me faire cocu !

IAGO. – Oh ! c'est affreux à elle.

OTHELLO. – Avec mon officier !

IAGO. – C'est plus affreux encore.

OTHELLO. – Procure-moi du poison, Iago, cette nuit !... Je ne veux pas avoir d'explication avec elle, de peur que son corps et sa beauté ne désarment mon âme encore une fois... Cette nuit, Iago !

IAGO. – N'employez pas le poison ; étranglez-la dans son lit, le lit même qu'elle a souillé.

OTHELLO. – Bon, bon ! La justice de ceci me plaît. Très bon !

IAGO. – Et, quant à Cassio, laissez-moi être son croque-mort. Vous en apprendrez davantage vers minuit.

OTHELLO. – Excellent !... *(Bruit de trompette.)* Quelle est cette fanfare ?

IAGO. – Quelque message de Venise, pour sûr. C'est Lodovico qui vient de la part du doge ; et, voyez ! votre femme est avec lui.

Entrent Lodovico, Desdémona et leur suite.

LODOVICO. – Dieu vous garde, digne général !

OTHELLO. – Je le souhaite de tout mon cœur, monsieur.

LODOVICO. – Le doge et les sénateurs de Venise vous saluent. *(Il lui remet une dépêche.)*

OTHELLO. – Je baise l'instrument de leur bon plaisir. *(Il ouvre la dépêche et lit.)*

DESDÉMONA. – Et quoi de nouveau, mon bon cousin Lodovico ?

IAGO, *à Lodovico*. – Je suis bien content de vous voir, signor. Soyez le bienvenu à Chypre.

LODOVICO. – Merci ! Comment va le lieutenant Cassio ?

IAGO. – Il vit, monsieur.

DESDÉMONA. – Cousin, il est survenu entre lui et monseigneur une désagréable rupture ; mais vous arrangerez tout.

OTHELLO, *d'une voix sourde*. – Êtes-vous sûre de cela ?

DESDÉMONA, *à Othello*. – Monseigneur ?

OTHELLO, *lisant*. – « Ne manquez pas de le faire dès que vous aurez... »

LODOVICO, *à Desdémona*. – Il ne te parlait pas : il est occupé de la dépêche. Est-ce qu'il y a un différend entre ton mari et Cassio ?

DESDÉMONA. – Oui, un très malheureux. Je ferais bien des choses afin de les réconcilier, pour l'amour que je porte à Cassio.

OTHELLO. – Feu et soufre !

DESDÉMONA. – Monseigneur ?

OTHELLO. – Avez-vous votre raison ?

DESDÉMONA, *à Lodovico*. – Quoi ! est-ce qu'il est fâché ?

LODOVICO. – Il est possible que cette lettre l'agite ; car je crois qu'on le rappelle à Venise et que Cassio est désigné pour lui succéder.

DESDÉMONA. – Ma foi ! j'en suis bien aise.

OTHELLO. – En vérité ?

DESDÉMONA. – Monseigneur ?

OTHELLO. – Je suis bien aise, moi, de vous voir en démence.

DESDÉMONA. – Comment, mon doux Othello ?

OTHELLO. – Démon ! *(Il la frappe.)*

DESDÉMONA. – Je n'ai pas mérité ceci.

LODOVICO. – Monseigneur, voilà une chose qu'on ne croirait pas à Venise, quand même je jurerais l'avoir vue. C'est trop fort. Faites-lui réparation : elle pleure.

OTHELLO. – Ô démon ! démon ! Si les pleurs d'une femme pouvaient féconder la terre, chaque larme qu'elle laisse tomber ferait un crocodile ! *(A Desdémona.)* Hors de ma vue !

DESDÉMONA, *s'en allant*. – Je ne veux pas rester si je vous offense.

LODOVICO. – Vraiment, voilà une femme obéissante. J'en supplie Votre Seigneurie, rappelez-la.

OTHELLO, *appelant*. – Madame !

DESDÉMONA. – Monseigneur ?

OTHELLO, *à Lodovico*. – Que lui voulez-vous, monsieur ?

LODOVICO. – Qui ? moi, monseigneur ?

OTHELLO. – Oui ; vous avez désiré que je la fisse revenir. Monsieur, elle peut se tourner et se retourner et aller de l'avant, et se retourner encore ; elle peut pleurer, monsieur, pleurer ! Et elle est obéissante, comme vous dites, obéissante, très obéissante. *(A Desdémona.)* Continuez vos sanglots ! *(A Lodovico.)* Quant à ceci, monsieur... *(A Desdémona.)* Oh ! l'émotion bien jouée ! *(A Lodovico.)* Je suis rappelé à Venise... *(A Desdémona.)* Allez-vous-en ! je vous enverrai chercher tout à l'heure... *(A Lodovico.)* Monsieur, j'obéis à cet ordre, et je vais retourner à Venise. *(A Desdémona.)* Hors d'ici ! arrière ! *(Desdémona sort.)* Cassio prendra ma place. Mais, monsieur, ce soir, je vous supplie de souper avec moi ; vous êtes le bienvenu, monsieur, à Chypre... Boucs et singes ! *(Il sort.)*

LODOVICO. – Est-ce là ce noble More dont notre Sénat unanime proclame la capacité suprême ? Est-ce là cette noble nature que la passion ne pouvait ébranler ? cette solide vertu que ni la balle de l'accident ni le trait du hasard ne pouvaient effleurer ni entamer ?

IAGO. – Il est bien changé.

LODOVICO. – Sa raison est-elle saine ? N'est-il pas en délire ?

IAGO. – Il est ce qu'il est. Je ne dois pas murmurer une critique. S'il n'est pas ce qu'il devrait être, plût au ciel qu'il le fût !

LODOVICO. – Quoi ! frapper sa femme !

IAGO. – Ma foi ! ce n'était pas trop bien. Mais je voudrais être sûr que ce coup doit être le plus rude.

LODOVICO. – Est-ce une habitude chez lui ? Ou bien sont-ce ces lettres qui ont agi sur son sang et lui ont inoculé ce défaut ?

IAGO. – Hélas ! hélas ! ce ne serait pas honnête à moi de dire ce que j'ai vu et appris. Vous l'observerez. Ses procédés mêmes le feront assez connaître pour m'épargner la peine de parler. Ne le perdez pas de vue, seulement, et remarquez comment il se comporte.

LODOVICO. – Je suis fâché de m'être ainsi trompé sur son compte. *(Ils sortent.)*

SCÈNE II

L'appartement de Desdémona.

Entrent OTHELLO *et* ÉMILIA.

OTHELLO. – Vous n'avez rien vu alors ?

ÉMILIA. – Ni jamais rien entendu ni jamais rien soupçonné.

OTHELLO. – Si fait. Vous les avez vus ensemble, elle et Cassio.

ÉMILIA. – Mais alors je n'ai rien vu de mal, et pourtant

j'entendais chaque syllabe que le moindre souffle échangeait entre eux.

OTHELLO. – Quoi ! ils n'ont jamais chuchoté ?

ÉMILIA. – Jamais, monseigneur.

OTHELLO. – Ils ne vous ont jamais éloignée ?

ÉMILIA. – Jamais.

OTHELLO. – Sous prétexte d'aller chercher son éventail, ses gants, son masque, ou quoi que ce soit ?

ÉMILIA. – Jamais, monseigneur.

OTHELLO. – C'est étrange.

ÉMILIA. – Monseigneur, j'oserais parier qu'elle est honnête, et mettre mon âme comme enjeu. Si vous pensez autrement, chassez votre pensée : elle abuse votre cœur. Si quelque misérable vous a mis cela en tête, que le ciel l'en récompense par la malédiction qui frappa le serpent ! Car, si elle n'est pas honnête, chaste et fidèle, il n'y a pas de mari heureux : la plus pure des femmes est noire comme la calomnie.

OTHELLO. – Dis-lui de venir ici. Va. *(Émilia sort.)* Elle n'est pas à court de paroles, mais il faudrait être une entremetteuse bien simple pour ne pas savoir en dire autant. C'est une subtile putain, un réceptacle, fermé à clef, de secrets infâmes ; et pourtant elle se met à genoux, et prie : je l'ai vue, moi !

Rentre Émilia avec Desdémona.

DESDÉMONA. – Monseigneur, quelle est votre volonté ?

OTHELLO. – Je vous en prie, poulette, approchez.

DESDÉMONA. – Quel est votre plaisir ?

OTHELLO. – Laissez-moi voir vos yeux ; regardez-moi en face.

DESDÉMONA. – Quelle est cette horrible fantaisie ?

OTHELLO, *à Émilia*. – A vos fonctions, dame ! Laissez seuls ceux qui veulent procréer, et fermez la porte ! Toussez et criez *hem !* si quelqu'un vient. Votre métier ! votre métier ! Allons ! dépêchez-vous. *(Émilia sort.)*

DESDÉMONA, *tombant à genoux*. – Je vous le demande à genoux, que signifie votre langage ? J'entends une furie dans vos paroles, mais non les paroles.

OTHELLO. – Eh bien ! qu'es-tu ?

DESDÉMONA. – Votre femme, monseigneur, votre fidèle et loyale femme.

OTHELLO. – Allons ! jure cela, damne-toi ! de peur que, te croyant du ciel, les démons eux-mêmes ne craignent de te saisir. Donc damne-toi doublement : jure que tu es honnête !

DESDÉMONA. – Le ciel le sait vraiment.

OTHELLO. – Le ciel sait vraiment que tu es fausse comme l'enfer !

DESDÉMONA. — Envers qui, monseigneur ? envers qui ? Comment suis-je fausse ?

OTHELLO. - Ah ! Desdémona ! arrière, arrière ! arrière ! *(Il sanglote.)*

DESDÉMONA. — Hélas ! jour accablant !... Pourquoi pleurez-vous ? Suis-je la cause de ces larmes, monseigneur ? Si par hasard vous soupçonnez mon père d'être l'instrument de votre rappel, ne faites pas tomber votre blâme sur moi. Si vous avez perdu son affection, eh, moi aussi, je l'ai perdue !

OTHELLO. - Le ciel aurait voulu m'éprouver par des revers, il aurait fait pleuvoir toutes sortes de maux et d'humiliations sur ma tête nue, il m'aurait plongé dans la misère jusqu'aux lèvres, il m'aurait voué à la captivité, moi et mes espoirs suprêmes ; eh bien ! j'aurais trouvé quelque part dans mon âme une goutte de résignation. Mais, hélas ! faire de moi le chiffre fixe que l'heure du mépris désigne de son aiguille lentement mobile ! Pourtant j'aurais pu supporter cela encore, bien, très bien ! Mais le lieu choisi dont j'avais fait le grenier de mon cœur, et d'où je dois tirer la vie, sous peine de la perdre ! mais la fontaine d'où ma source doit couler pour ne pas se tarir ! en être dépossédé, ou ne pouvoir la garder que comme une citerne où des crapauds hideux s'accouplent et pullulent !... Oh ! change de couleur à cette idée, Patience, jeune chérubin aux lèvres roses, et prends un visage sinistre comme l'enfer !.

DESDÉMONA. — J'espère que mon noble maître m'estime vertueuse.

OTHELLO. - Oh ! oui, autant qu'à la boucherie ces mouches d'été qui engendrent dans un bourdonnement !... Ô fleur sauvage, si adorablement belle et dont le parfum si suave enivre douloureusement les sens !... je voudrais que tu ne fusses jamais née !

DESDÉMONA. — Hélas ! quel péché ai-je commis à mon insu ?

OTHELLO. - Quoi ! cette page si blanche, ce livre si beau, étaient-ils faits pour la plus infâme inscription ? Ce que tu as commis ! ce que tu as commis, ô fille publique ! si je le disais seulement, mes joues deviendraient des forges qui brûleraient toute pudeur jusqu'à la cendre ! Ce que tu as commis ! Le ciel se bouche le nez et la lune se voile à tes actions ; la lascive rafale qui baise tout ce qu'elle rencontre s'engouffre dans les profondeurs de la terre pour ne pas les entendre... Ce que tu as commis !... Impudente prostituée !

DESDÉMONA. — Par le ciel ! vous me faites outrage.

OTHELLO. - Est-ce que vous n'êtes pas une prostituée ?

DESDÉMONA. — Non ! aussi vrai que je suis une chrétienne. Si préserver pour mon mari ce vase pur de tout contact illégitime n'est pas l'acte d'une prostituée, je n'en suis pas une.

OTHELLO. – Quoi ! vous n'êtes pas une putain ?

DESDÉMONA. – Non ! aussi vrai que je serai sauvée.

OTHELLO. – Est-il possible ?

DESDÉMONA. – Oh ! que le ciel ait pitié de nous !

OTHELLO. – J'implore votre pardon alors. Je vous prenais pour cette rusée putain de Venise qui a épousé Othello.

Rentre Émilia.

(*A Émilia.*) Vous, dame, vous qui avez l'office opposé à celui de saint Pierre et qui gardez la porte de l'enfer !... Vous ! vous ! oui, vous ! Nous avons fini. Voici de l'argent pour vos peines. Je vous en prie, tournez la clef et gardez-nous le secret. (*Il sort.*)

ÉMILIA. – Hélas ! qu'a donc dans l'esprit ce gentilhomme ? Comment êtes-vous, madame ? Comment êtes-vous, ma bonne maîtresse ?

DESDÉMONA. – A moitié assoupie, je crois.

ÉMILIA. – Bonne madame, qu'a donc monseigneur ?

DESDÉMONA. – Qui ?

ÉMILIA. – Eh bien ! monseigneur, madame.

DESDÉMONA. – Qui est-ce ton seigneur ?

ÉMILIA. – Celui qui est le vôtre, chère maîtresse.

DESDÉMONA. – Je n'en ai pas... Ne me parle pas, Émilia. Je ne puis pleurer, et je n'ai pas d'autre réponse que celle qui fondrait en eau... Je t'en prie ! cette nuit, mets à mon lit mes draps de noce, n'oublie pas... et fais venir ton mari ici.

ÉMILIA. – Voilà bien du changement, en vérité. (*Elle sort.*)

DESDÉMONA. – Il était juste que je fusse traitée ainsi, très juste. Comment me suis-je conduite de façon à lui inspirer le plus petit soupçon d'un si grand crime ?

Émilia rentre avec Iago.

IAGO. – Quel est votre bon plaisir, madame ? Qu'avez-vous ?

DESDÉMONA. – Je ne puis le dire, car ceux qui élèvent de petits enfants le font par des moyens doux et des tâches faciles... Il aurait bien dû me gronder ainsi ; car, ma foi ! je suis une enfant quand on me gronde.

IAGO. – Qu'y a-t-il, madame ?

ÉMILIA. – Hélas, Iago ! monseigneur l'a traitée de... putain. Il a déversé sur elle tant d'outrages et de termes accablants qu'un cœur honnête ne peut les supporter.

DESDÉMONA. – Suis-je donc... ce nom-là, Iago ?

IAGO. – Quel nom, belle dame ?

DESDÉMONA. – Le nom qu'elle répète et que mon mari dit que je suis.

ÉMILIA. – Il l'a appelée putain ! Un mendiant, dans son ivresse, n'appliquerait pas de pareils termes à sa caillette.

IAGO. – Pourquoi a-t-il fait cela ?

DESDÉMONA, *sanglotant*. – Je ne sais pas... Je suis sûre que je ne suis pas ce qu'il dit.

IAGO. – Ne pleurez pas ! ne pleurez pas ! Hélas ! quel jour !

ÉMILIA. – N'a-t-elle renoncé à tant de nobles alliances, à son père, à son pays et à ses amis que pour être appelée putain ? N'y a-t-il pas là de quoi pleurer ?

DESDÉMONA. – Telle est ma misérable destinée !

IAGO. – Malheur à lui pour cela ! D'où lui vient cet accès ?

DESDÉMONA. – Ah ! le ciel le sait.

ÉMILIA. – Je veux être pendue si quelque éternel coquin, quelque scélérat affairé et insinuant, quelque maroufle flagorneur et fourbe n'a pas, pour obtenir quelque emploi, imaginé cette calomnie. Je veux être pendue si cela n'est pas.

IAGO. – Fi ! il n'existe pas un pareil homme. C'est impossible.

DESDÉMONA. – S'il en existe un pareil, que le ciel lui pardonne !

ÉMILIA, *avec véhémence*. – Que la potence l'absolve, et que l'enfer lui ronge les os ! Pourquoi monseigneur la traiterait-il ainsi ? Quel visiteur assidu reçoit-elle ? En quel lieu ? à quel moment ?... Quelle apparence ? quelle vraisemblance ?... Le More est abusé par quelque affreux manant, par quelque grossier manant, par quelque drôle immonde !... Ô ciel, que ne dénonces-tu de tels misérables ! Que ne mets-tu dans toute main honnête un fouet pour chasser l'infâme, tout nu, à travers le monde, de l'orient à l'occident !

IAGO, *à Émilia*. – Que les passants ne vous entendent pas !

ÉMILIA. – Oh ! malédiction sur cet homme ! C'était quelque écuyer de même ordre qui vous avait mis l'esprit à l'envers et vous avait fait suspecter quelque chose entre le More et moi.

IAGO. – Vous êtes une folle, allez !

DESDÉMONA. – Ô bon Iago, que ferai-je pour regagner mon mari ? Mon bon ami, va le chercher ; car, par la lumière du ciel ! je ne sais comment je l'ai perdu... Me voici à genoux : si jamais ma volonté a péché contre son amour soit par parole, soit par pensée, soit par action positive ; si jamais mon regard, mon oreille, aucun de mes sens a été charmé par quelque autre apparition que lui ; si je cesse à présent, si j'ai jamais cessé, si (m'eût-il jetée dans les misères du divorce) je cesse jamais de l'aimer tendrement, que la consolation se détourne de moi !... L'injustice peut beaucoup, et son injustice peut détruire ma vie, mais jamais elle n'altérera mon amour. Je ne peux pas dire... putain ! Cela me fait horreur, rien que de prononcer le mot ; quant à faire l'acte qui me mériterait ce surnom, non, la masse des vanités de ce monde ne m'y déciderait pas.

IAGO. – Je vous en prie, calmez-vous... Ce n'est qu'une bou- tade. Des affaires d'État l'irritent, et c'est à vous qu'il s'en prend.

DESDÉMONA. – Oh ! si ce n'était que cela !

IAGO. – Ce n'est que cela, je vous assure. *(Fanfares.)* Écoutez ! Ces instruments sonnent l'heure du souper, et les nobles messa- gers de Venise y assistent. Rentrez et ne pleurez plus. Tout ira bien. *(Sortent Desdémona et Émilia.)*

Entre Roderigo.

IAGO. – Comment va, Roderigo ?

RODERIGO. – Je ne trouve pas que tu agisses loyalement envers moi.

IAGO. – Qu'ai-je fait de déloyal ?

RODERIGO. – Chaque jour tu m'éconduis avec un nouveau prétexte, Iago ; et, je m'en aperçois maintenant, tu éloignes de moi toutes les chances, loin de me fournir la moindre occasion d'espoir ; en vérité, je ne le supporterai pas plus longtemps ; et même je ne suis plus disposé à tolérer paisiblement ce que j'ai eu la bêtise de souffrir jusqu'ici.

IAGO. – Voulez-vous m'écouter, Roderigo ?

RODERIGO. – Ma foi ! je vous ai trop écouté ; car vos paroles et vos actions n'ont entre elles aucune parenté.

IAGO. – Vous m'accusez bien injustement.

RODERIGO. – De rien qui ne soit vrai. J'ai épuisé toutes mes ressources. Les bijoux que vous avez eus de moi pour les offrir à Desdémona auraient à demi corrompu une vestale. Vous m'avez dit qu'elle les avait reçus, et vous m'avez rapporté le consolant espoir d'une faveur et d'une récompense prochaine ; mais je ne vois rien encore.

IAGO. – Bien, continuez ! Fort bien !

RODERIGO. – Fort bien ! continuez !... Je ne puis continuer, l'homme ! et ce n'est pas fort bien. Par cette main levée ! je dis que c'est fort laid, et je commence à trouver que je suis dupe.

IAGO. – Fort bien !

RODERIGO. – Je vous dis que ce n'est pas fort bien. Je me ferai connaître à Desdémona. Si elle me rend mes bijoux, j'abandonne ma poursuite, et je me repens de mes sollicitations illégitimes. Sinon, soyez sûr que je réclamerai de vous satisfaction.

IAGO. – Avez-vous tout dit ?

RODERIGO. – Oui, et je n'ai rien dit que je ne sois hautement résolu à faire.

IAGO. – Comment ! mais je vois qu'il y a de la fougue en toi ; et même, à dater de ce moment, je fonde sur toi une opinion meilleure que jamais. Donne-moi ta main, Roderigo. Tu as pris contre moi un juste déplaisir ; mais pourtant je proteste que j'ai agi dans ton affaire avec la plus grande droiture.

RODERIGO. – Il n'y a pas paru.

IAGO. – J'accorde, en vérité, qu'il n'y a pas paru ; et ta défiance n'est pas dénuée d'esprit ni de jugement. Mais, Roderigo, si tu as vraiment en toi ce que j'ai de meilleures raisons que jamais de te croire, c'est-à-dire de la résolution, du courage et de la valeur, que cette nuit même le montre ! Et si, la nuit prochaine, tu ne possèdes pas Desdémona, enlève-moi de ce monde par un guet-apens, et imagine pour ma mort toutes les tortures.

RODERIGO. – Voyons ! de quoi s'agit-il ? Est-ce dans les limites de la raison et du possible ?

IAGO. – Seigneur, il est arrivé des ordres exprès de Venise pour mettre Cassio à la place d'Othello.

RODERIGO. – Vraiment ? Alors, Othello et Desdémona retournent à Venise.

IAGO. – Oh ! non. Il va en Mauritanie, et il emmène avec lui la belle Desdémona, à moins que son séjour ici ne soit prolongé par quelque accident ; or, il ne peut y en avoir de plus décisif que l'éloignement de Cassio.

RODERIGO. – Qu'entendez-vous par son éloignement ?

IAGO. – Eh bien ! le rendre incapable de remplacer Othello : lui faire sauter la cervelle.

RODERIGO. – Et c'est là ce que vous voulez que je fasse ?

IAGO. – Oui ! si vous osez vous rendre à vous-même service et justice. Il soupe cette nuit avec une drôlesse, et je dois aller le rejoindre : il ne sait rien encore de son honorable promotion. Si vous voulez le guetter à sa sortie de la maison (je ferai en sorte qu'elle ait lieu entre minuit et une heure), vous pourrez l'assaillir à votre aise ; je serai tout près pour seconder votre attaque, et il tombera entre nous deux... Allons ! ne restez pas ébahi, mais marchez avec moi. Je vous montrerai si bien la nécessité de sa mort que vous vous croirez tenu de la hâter. Il est maintenant tout à fait l'heure de souper, et la nuit s'avance rapidement. A l'œuvre !

RODERIGO. – Je veux entendre de nouvelles raisons pour me décider.

IAGO. – Vous serez satisfait. *(Ils sortent.)*

SCÈNE III

Une chambre dans le château.

Entrent OTHELLO, LODOVICO, DESDÉMONA, ÉMILIA *et leur suite.*

LODOVICO. – Je vous en supplie, monsieur, ne vous dérangez pas davantage.

OTHELLO. – Oh ! pardonnez-moi ; cela me fera du bien de marcher.

LODOVICO. – Madame, bonne nuit ! je remercie humblement Votre Grâce.

DESDÉMONA. – Votre Honneur est le très bienvenu.

OTHELLO. – Marchons-nous, monsieur ?... Ah ! Desdémona !

DESDÉMONA. – Monseigneur ?

OTHELLO. – Mettez-vous au lit tout de suite. Je serai de retour immédiatement. Congédiez votre suivante... Vous entendez bien ?

DESDÉMONA. – Oui, monseigneur. *(Sortent Othello, Lodovico et la suite.)*

ÉMILIA. – Comment cela va-t-il à présent ? Il a l'air plus doux que tantôt.

DESDÉMONA. – Il dit qu'il va revenir sur-le-champ. Il m'a commandé de me mettre au lit et de vous congédier.

ÉMILIA. – Me congédier !

DESDÉMONA. – C'est son ordre. Ainsi, ma bonne Émilia, donne-moi mes vêtements de nuit, et adieu ! N'allons pas lui déplaire à présent.

ÉMILIA. – Je voudrais que vous ne l'eussiez jamais vu.

DESDÉMONA. – Je ne le voudrais pas, moi ! Mon amour est si partial pour lui, que même sa rigueur, ses brusqueries et ses colères... dégrafe-moi, je te prie... ont de la grâce et du charme à mes yeux.

ÉMILIA. – J'ai mis au lit les draps que vous m'avez dit.

DESDÉMONA. – Rien n'y fait, ma foi !... Têtes folles que nous sommes !... Si je meurs avant toi, je t'en prie, ensevelis-moi dans un de ces draps.

ÉMILIA. – Allons, allons ! vous babillez.

DESDÉMONA. – Ma mère avait une servante, appelée Barbarie, qui était amoureuse ; celui qu'elle aimait devint capricieux et l'abandonna. Elle avait une chanson du *Saule* ; c'était une vieille chose, mais qui exprimait bien sa situation ; et elle mourut en la chantant. Ce soir, ce chant-là ne peut pas me sortir de l'esprit ; j'ai grand-peine à m'empêcher d'incliner la tête de côté et de la chanter, comme la pauvre Barbarie... Je t'en prie, dépêche-toi.

ÉMILIA. – Irai-je chercher votre robe de nuit ?

DESDÉMONA. – Non ! dégrafe-moi ici... Ce Lodovico est un homme distingué.

ÉMILIA. – Un très bel homme.

DESDÉMONA. – Il parle bien.

ÉMILIA. – Je connais une dame, à Venise, qui serait allée pieds nus en Palestine pour un attouchement de sa lèvre inférieure.

DESDÉMONA, *chantant.*

La pauvre âme assise soupirait près d'un sycomore...
Chantez tous le saule vert !
Sa main sur sa poitrine, sa tête sur ses genoux.
Chantez le saule, le saule, le saule !
Les frais ruisseaux coulaient près d'elle et murmuraient ses
[*plaintes.*
Chantez le saule, le saule, le saule !
En tombant, ses larmes amères amollissaient les pierres.

(Donnant quelque objet de toilette à Émilia.) Mets ceci de côté.

Chantez le saule, le saule, le saule !

Je t'en prie, hâte-toi. Il va rentrer.

Chantez tous le saule vert dont je ferai ma guirlande !
Que personne ne le blâme ! J'approuve son dédain...

Non, ce n'est pas là ce qui vient après... Écoute ! Qui est-ce qui frappe ?

ÉMILIA. – C'est le vent.

DESDÉMONA.

J'appelais mon amour, amour trompeur ! Mais, lui, que me
[*répondait-il ?*
Chantez le saule, le saule, le saule !
Si je courtise d'autres femmes, couchez avec d'autres hommes !

Allons, va-t'en ! bonne nuit ! Mes yeux me démangent ; est-ce un présage de larmes ?

ÉMILIA. – Cela ne signifie rien.

DESDÉMONA. – Je l'ai entendu dire ainsi... Oh ! ces hommes ! ces hommes... Penses-tu, en conscience, dis-moi, Émilia, qu'il y a des femmes qui trompent leurs maris d'une si grossière façon ?

ÉMILIA. – Il y en a, sans nul doute.

DESDÉMONA. – Ferais-tu une action pareille pour le monde entier ?

ÉMILIA. – Voyons ! ne la feriez-vous pas ?

DESDÉMONA. – Non ! par cette lumière céleste !

ÉMILIA. – Ni moi non plus, par cette lumière céleste : je la ferais aussi bien dans l'obscurité !

DESDÉMONA. – Ferais-tu une action pareille pour le monde entier ?

ÉMILIA. – Le monde est chose considérable ; c'est un grand prix pour un petit péché.

DESDÉMONA. – Ma foi ! je crois que tu ne la ferais pas.

ÉMILIA. – Ma foi ! je crois que je la ferais, quitte à la défaire quand je l'aurais faite. Pardieu ! je ne ferais pas une pareille chose pour une bague double, pour quelques mesures de linon, pour des robes, des jupons, des chapeaux ni autre menue parure, mais pour le monde entier !... Voyons ! qui ne ferait pas son mari cocu pour le faire monarque ? Je risquerais le purgatoire pour ça.

DESDÉMONA. – Que je sois maudite, si je fais une pareille faute pour le monde entier !

ÉMILIA. – Bah ! la faute n'est faute que dans ce monde. Or, si vous aviez le monde pour la peine, la faute n'existerait que dans votre propre monde et vous pourriez vite l'ériger en mérite.

DESDÉMONA. – Moi je ne crois pas qu'il y ait des femmes pareilles.

ÉMILIA. – Si fait, une douzaine ! et plus encore, et tout autant qu'en pourrait tenir le monde servant d'enjeu. Mais je pense que c'est la faute de leurs maris si les femmes succombent. S'il arrive à ceux-ci de négliger leurs devoirs et de verser nos trésors dans quelque giron étranger, ou d'éclater en maussades jalousies et de nous soumettre à la contrainte, ou encore de nous frapper ou de réduire par dépit notre budget accoutumé, eh bien ! nous ne sommes pas sans fiel ; et, quelque vertu que nous ayons, nous avons de la rancune. Que les maris le sachent ! leurs femmes ont des sens comme eux ; elles voient, elles sentent, elles ont un palais pour le doux comme pour l'aigre, ainsi que les maris. Qu'est-ce donc qui les fait agir quand ils nous changent pour d'autres ? Est-ce le plaisir ? Je le crois. Est-ce l'entraînement de la passion ? Je le crois aussi. Est-ce l'erreur de la faiblesse ? Oui encore. Eh bien ! n'avons-nous pas des passions, des goûts de plaisir et des faiblesses, tout comme les hommes ? Alors qu'ils nous traitent bien ! Autrement, qu'ils sachent que leurs torts envers nous autorisent nos torts envers eux !

DESDÉMONA. – Bonne nuit, bonne nuit ! Que le ciel m'inspire l'habitude, non de tirer le mal du mal, mais de faire servir le mal au mieux ! *(Elles sortent.)*

ACTE V

SCÈNE PREMIÈRE

Une rue aux abords de la maison de Bianca.
Il fait nuit noire.

Entrent IAGO *et* RODERIGO.

IAGO. – Ici ! Tiens-toi derrière ce pan de mur, il va venir à l'instant. Porte ta bonne rapière nue, et frappe au but. Vite ! vite ! Ne crains rien. Je serai à ton coude. Ceci nous sauve ou nous perd. Pense à cela, et fixe très fermement ta résolution.

RODERIGO. – Tiens-toi à portée : je puis manquer le coup.

IAGO. – Ici-même, à ta portée... Hardi ! et à ton poste ! *(Il se retire à une petite distance.)*

RODERIGO. – Je n'ai pas une grande ferveur pour l'action, et cependant il m'a donné des raisons satisfaisantes. Ce n'est qu'un homme de moins ! En avant, mon épée ! il est mort. *(Il se met en place et tire son épée.)*

IAGO, *à part.* – J'ai frotté ce jeune ulcère presque au vif, et le voilà qui s'irrite. Maintenant, qu'il tue Cassio, ou que Cassio le tue, ou qu'ils se tuent l'un l'autre, tout est profit pour moi. Si Roderigo vit, il me somme de lui restituer tout l'or et tous les bijoux que je lui ai escamotés comme cadeaux à Desdémona ; c'est ce qui ne doit pas être. Si Cassio survit, il a dans sa vie une beauté quotidienne qui me rend laid... Et puis, le More pourrait me dénoncer à lui ; je vois là pour moi un grand péril. Non, il faut qu'il meure !... Mais voici que je l'entends venir.

Entre Cassio.

RODERIGO. – Je reconnais son pas. C'est lui ! Misérable ! tu es mort ! *(Il s'élance de son poste et porte une botte à Cassio.)*

CASSIO, *dégainant.* – Ce coup m'aurait été fatal, en effet, si ma cotte n'eût été meilleure que tu ne le pensais ; je veux éprouver la tienne. *(Il frappe Roderigo.)*

RODERIGO, *tombant.* – Oh ! je suis tué ! *(Iago s'élance de son poste, atteint Cassio par-derrière à la jambe, et s'enfuit.)*

CASSIO. – Je suis estropié pour toujours ! Du secours ! holà ! Au meurtre ! au meurtre ! *(Il tombe.)*

Othello apparaît au fond du théâtre.

OTHELLO. – La voix de Cassio ! Iago tient sa parole.

RODERIGO. – Oh ! scélérat que je suis !

OTHELLO. – Oui c'est bien vrai !

CASSIO. – Oh ! du secours ! holà ! De la lumière ! un chirurgien !

OTHELLO. – C'est bien lui !... Ô brave Iago, cœur honnête et juste, qui ressens si noblement l'outrage fait à ton ami, m'apprends mon devoir !... Mignonne, votre bien-aimé est mort, et votre heure maudite approche... Prostituée, j'arrive ! Le charme de tes yeux est effacé de mon cœur. Il faut à ton lit, souillé de luxure, la tache de sang de la luxure ! *(Il sort.)*

Entrent Lodovico et Gratiano. Ils se tiennent à distance.

CASSIO. – Holà !... Pas une patrouille ! pas un passant ! Au meurtre ! au meurtre !

GRATIANO. – C'est quelque malheur. Ce cri est bien déchirant.

CASSIO. – Oh ! du secours !

LODOVICO. – Écoutez !

RODERIGO. – Ô misérable scélérat !

LODOVICO. – Deux ou trois voix gémissantes ! Quelle nuit épaisse ! C'est peut-être un piège. Il serait imprudent, croyez-moi, d'accourir aux cris sans avoir du renfort.

RODERIGO. – Personne ne vient ! Vais-je donc saigner à mort ?

Entre Iago, en vêtement de nuit, une torche à la main.

LODOVICO. – Écoutez !

GRATIANO. – Voici quelqu'un qui vient en chemise avec une lumière et des armes.

IAGO. – Qui est là ? D'où partent ces cris : Au meurtre !

LODOVICO, *à Iago.* – Nous ne savons.

IAGO, *à Lodovico.* – Est-ce que vous n'avez pas entendu crier ?

CASSIO. – Ici ! ici ! Au nom du ciel ! secourez-moi !

IAGO. – Que se passe-t-il ?

GRATIANO, *à Lodovico.* – C'est l'enseigne d'Othello, il me semble.

LODOVICO. – Lui-même, en vérité : un bien vaillant compagnon !

IAGO, *se penchant sur Cassio.* – Qui êtes-vous, vous qui criez si douloureusement ?

CASSIO. – Iago ! Oh ! je suis massacré, anéanti par des misérables ! Porte-moi secours.

IAGO. – Ah ! mon Dieu ! lieutenant ! quels sont les misérables qui ont fait ceci ?

CASSIO. – Je pense que l'un d'eux est à quelques pas, et qu'il ne peut se sauver.

IAGO. – Oh ! les misérables traîtres ! *(A Lodovico et à Gratiano.)* Qui êtes-vous, là ? Approchez et venez au secours.

RODERIGO. – Oh ! secourez-moi ! ici !

CASSIO. – Voilà l'un d'eux.

IAGO. – Oh ! misérable meurtrier ! Oh ! scélérat ! *(Il poignarde Roderigo.)*

RODERIGO. – Oh ! damné Iago ! Oh ! chien inhumain ! *(Il meurt.)*

IAGO. – Tuer les gens dans les ténèbres ! Où sont tous ces sanglants bandits ? Comme la ville est silencieuse ! Holà ! au meurtre ! au meurtre ! *(A Lodovico et à Gratiano.)* Qui donc êtes-vous, vous autres ? Êtes-vous hommes de bien ou de mal ?

LODOVICO. – Jugez-nous à l'épreuve.

IAGO. – Le seigneur Lodovico !

LODOVICO. – Lui-même, monsieur.

IAGO. – J'implore votre indulgence : voici Cassio blessé par des misérables.

GRATIANO. – Cassio ?

IAGO, *penché sur Cassio.* – Comment cela va-t-il, frère ?

CASSIO. – Ma jambe est coupée en deux.

IAGO. – Oh ! à Dieu ne plaise ! De la lumière, messieurs ! Je vais bander la plaie avec ma chemise.

Des gens portant des torches s'approchent.
Iago bande la blessure de Cassio. Entre Bianca.

BIANCA. – Que se passe-t-il ? Ho ! qui a crié ?

IAGO. – Qui a crié ?

BIANCA, *se précipitant vers Cassio.* – Ô mon cher Cassio ! mon bien-aimé Cassio ! Ô Cassio ! Cassio ! Cassio !

IAGO. – Ô insigne catin !... Cassio, pouvez-vous soupçonner qui peuvent être ceux qui vous ont ainsi mutilé ?

CASSIO. – Non.

GRATIANO, *à Cassio.* – Je suis désolé de vous trouver dans cet état : j'étais allé à votre recherche.

IAGO. – Prêtez-moi une jarretière... Bien ! Oh ! un brancard pour le transporter doucement d'ici.

BIANCA. – Hélas ! il s'évanouit !... Ô Cassio ! Cassio ! Cassio !

IAGO. – Messieurs, je soupçonne cette créature d'avoir pris part à ce crime... Un peu de patience, mon brave Cassio !...

Allons ! allons ! Éclairez-moi. Voyons ! *(S'avançant vers Rode-rigo.)* Reconnaissons-nous ce visage ou non ? Hélas ! mon ami, mon cher compatriote ! Roderigo !... Non... Si ! pour sûr ! Ô ciel ! c'est Roderigo !

GRATIANO. – Quoi ! Roderigo de Venise ?

IAGO. – Lui-même, monsieur. Le connaissiez-vous ?

GRATIANO. – Si je le connaissais ! Certes.

IAGO. – Le seigneur Gratiano !... J'implore votre bienveillant pardon. Ces sanglantes catastrophes doivent excuser mon man-que de forme à votre égard.

GRATIANO. – Je suis content de vous voir.

IAGO. – Comment êtes-vous, Cassio ? Oh ! un brancard ! un brancard !

GRATIANO. – Roderigo !

IAGO. – Lui ! lui ! c'est bien lui ! *(On apporte un brancard.)* Oh ! à merveille ! le brancard ! *(Montrant les porteurs.)* Que ces braves gens l'emportent d'ici avec le plus grand soin ! Moi, je vais cher-cher le chirurgien du général. *(A Bianca, qui sanglote.)* Quant à vous, dame, épargnez-vous toute cette peine. *(A Cassio, montrant Roderigo.)* Celui qui est là gisant, Cassio, était mon ami cher. Quelle querelle y avait-il donc entre vous ?

CASSIO. – Nulle au monde. Je ne connais pas l'homme.

IAGO, *à Bianca.* – Eh bien ! comme vous êtes pâle ! *(Aux por-teurs.)* Oh ! emportez-le du grand air. *(On emporte Cassio et Rode-rigo. A Gratiano et à Lodovico.)* Restez, mes bons messieurs... Comme vous êtes pâle, petite dame ! *(Montrant Bianca.)* Remarquez-vous l'effarement de son regard ? *(A Bianca.)* Si vous êtes déjà si atterrée, nous en saurons davantage tout à l'heure... Observez-la bien ; je vous prie, ayez l'œil sur elle. Voyez-vous, messieurs ? Le crime parlera toujours, même quand les langues seraient muettes.

Entre Émilia.

ÉMILIA. – Hélas ! qu'y a-t-il ? Qu'y a-t-il donc, mon mari ?

IAGO. – Cassio a été attaqué ici dans les ténèbres par Roderigo et des drôles qui se sont échappés. Il est presque tué, et Roderigo est mort.

ÉMILIA. – Hélas, bon seigneur ! Hélas, bon Cassio !

IAGO. – Voilà ce que c'est que de courir les filles... Je t'en prie, Émilia, va demander à Cassio où il a soupé cette nuit. *(A Bianca.)* Quoi ! est-ce que cela vous fait trembler ?

BIANCA. – Il a soupé chez moi, mais cela ne me fait pas trem-bler.

IAGO. – Ah ! il a soupé chez vous ! Je vous somme de venir avec moi.

ÉMILIA. – Infamie ! infamie sur toi, prostituée !

BIANCA. – Je ne suis pas une prostituée ; j'ai une vie aussi honnête que vous qui m'insultez.

ÉMILIA. – Que moi ! Fi ! infamie sur toi !

IAGO. – Gracieux seigneurs, allons-nous voir panser le pauvre Cassio ? Venez, petite dame, il va falloir nous en conter d'autres. Émilia, courez à la citadelle dire à Monseigneur et à Madame ce qui est arrivé... Partons, je vous prie. *(A part.)* Voici la nuit qui doit faire ma fortune ou ma ruine. *(Tous sortent.)*

SCÈNE II

Une chambre à coucher. Desdémona est au lit, endormie. Près d'elle un flambeau allumé.

Entre OTHELLO.

OTHELLO. – C'est la cause, c'est la cause, ô mon âme ! Laissez-moi vous la cacher à vous, chastes étoiles ! C'est la cause !... Pourtant je ne veux pas faire couler son sang ni faire de cicatrice à cette peau plus blanche que la neige et aussi lisse que l'albâtre monumental. *(Il dépose son épée.)* Pourtant il faut qu'elle meure ; autrement, elle en trahirait d'autres. *(Montrant le flambeau.)* Éteignons d'abord cette lumière, et puis... *(Montrant Desdémona.)* Éteignons celle-ci. Si je souffle sur toi, ministre de flamme, je puis ressusciter ta clarté première, pour peu que je me ravise... Mais, la tienne une fois éteinte, ô modèle achevé de l'exquise nature, je ne sais pas où est le feu prométhéen qui pourra la rallumer ! Quand j'aurai cueilli cette rose, je ne pourrai plus lui rendre sa sève vitale : il faudra qu'elle se flétrisse ! Je veux la respirer sur la tige. *(Il l'embrasse.)* Ô haleine embaumée qui persuaderait presque à la justice de briser son glaive ! Encore un ! encore un ! *(Il la couvre de baisers.)* Sois ainsi quand tu seras morte, et je vais te tuer, et je t'aimerai après... Encore un ! c'est le dernier ! Jamais chose si douce ne fut aussi fatale. Il faut que je pleure, mais ce sont des larmes cruelles. Cette douleur-là tient du ciel, elle châtie qui elle aime... Elle s'éveille !

DESDÉMONA. – Qui est là ? Othello ?

OTHELLO. – Oui, Desdémona.

DESDÉMONA. – Voulez-vous venir au lit, monseigneur ?

OTHELLO. – Avez-vous prié ce soir, Desdémona ?

DESDÉMONA. – Oui, monseigneur.

OTHELLO. – Si vous vous souvenez de quelque crime que la grâce du ciel n'ait pas encore absous, implorez-la vite !

DESDÉMONA. – Hélas ! monseigneur, que voulez-vous dire par là ?

OTHELLO. – Allons ! faites et soyez brève. Je vais marcher en attendant. Je ne voudrais pas tuer ton âme sans qu'elle fût préparée. Non ! Le ciel m'en préserve ! Je ne voudrais pas tuer ton âme.

DESDÉMONA. – Vous parlez de tuer ?

OTHELLO. – Oui, j'en parle.

DESDÉMONA. – Alors, que le ciel ait pitié de moi !

OTHELLO. – Amen ! de tout mon cœur !

DESDÉMONA. – Si vous parlez ainsi, j'espère que vous ne me tuerez pas.

OTHELLO. – Humph !

DESDÉMONA. – Et pourtant j'ai peur de vous ; car vous êtes fatal quand vos yeux roulent ainsi. Pourquoi aurais-je peur ? Je l'ignore, puisque j'ignore ma faute ; cependant je sens que j'ai peur.

OTHELLO. – Pense à tes péchés.

DESDÉMONA. – Ce sont les tendresses que j'ai pour vous.

OTHELLO. – Oui ! et c'est pour cela que tu meurs.

DESDÉMONA. – C'est une mort contre nature que celle qui tue pour crime d'amour. Hélas ! pourquoi rongez-vous ainsi votre lèvre inférieure ? Quelque passion sanglante agite tout votre être. Ce sont de mauvais présages ; mais pourtant j'espère, j'espère que ce n'est pas moi qu'ils menacent.

OTHELLO. – Paix ! et soyez calme.

DESDÉMONA. – J'obéis. Mais de quoi s'agit-il ?

OTHELLO. – Ce mouchoir que j'aimais tant et que je t'avais donné, tu l'as donné à Cassio.

DESDÉMONA. – Non, sur ma vie et sur mon âme ! Faites venir l'homme et interrogez-le.

OTHELLO. – Chère âme, prends garde, prends garde au parjure : tu es sur ton lit de mort.

DESDÉMONA. – Oui, mais pas pour y mourir encore !

OTHELLO. – Si ! immédiatement ! Donc confesse franchement ton crime ; car tu aurais beau en nier sous serment tous les chefs, tu n'écarterais pas, tu n'étoufferais pas la forte conviction dont je gémis. Tu vas mourir.

DESDÉMONA. – Alors, que le Seigneur ait pitié de moi !

OTHELLO. – Amen ! encore une fois.

DESDÉMONA. – Et vous aussi, ayez pitié ! Jamais je ne vous ai offensé de ma vie. Jamais je n'ai aimé Cassio que de cette ordinaire affection à laquelle le ciel m'autorisait. Jamais je ne lui ai donné de gage.

OTHELLO. – Par le ciel ! j'ai vu mon mouchoir à sa main.

Ô femme parjure, tu pétrifies mon cœur, en voulant me faire voir dans l'action que j'ai résolue un meurtre, et non plus un sacrifice ! J'ai vu le mouchoir !

DESDÉMONA. — Alors, c'est qu'il l'a trouvé. Je ne le lui ai jamais donné. Faites-le venir, et qu'il avoue la vérité !

OTHELLO. — Il a avoué.

DESDÉMONA. — Quoi, monseigneur ?

OTHELLO. — Qu'il t'avait eue.

DESDÉMONA. — Quoi ! illégitimement ?

OTHELLO. — Oui.

DESDÉMONA. — Il ne le répétera pas.

OTHELLO. — Non ! sa bouche est close ; l'honnête Iago y a mis bon ordre.

DESDÉMONA. — Oh ! ma frayeur devine ! Quoi ! il est mort !

OTHELLO. — Quand il aurait eu autant de vies que de cheveux, ma grande vengeance aurait eu de la rancune pour elles toutes.

DESDÉMONA. — Hélas ! il est trahi, et je suis perdue !

OTHELLO. — Fi donc, prostituée ! tu pleures pour lui devant ma face !

DESDÉMONA. — Oh ! bannissez-moi, monseigneur, mais ne me tuez pas.

OTHELLO. — A bas, prostituée !

DESDÉMONA. — Tuez-moi demain ! Laissez-moi vivre cette nuit !

OTHELLO. — Non ! Si vous vous débattez...

DESDÉMONA. — Rien qu'une demi-heure !

OTHELLO. — A l'exécution pas de sursis !

DESDÉMONA. — Rien que le temps de dire une prière !

OTHELLO. — Il est trop tard ! *(Il l'étouffe.)*

ÉMILIA, *dans l'intérieur du théâtre.* — Monseigneur ! monseigneur ! Holà ! Monseigneur ! Monseigneur !

OTHELLO. — Quel est ce bruit ?... Pas morte ! pas encore tout à fait morte ! Tout cruel que je suis, je ne suis pas sans pitié : je ne voudrais pas prolonger ton supplice ! Ainsi ! ainsi ! *(Il l'achève.)*

ÉMILIA, *de l'intérieur.* — Holà ! Monseigneur ! Monseigneur !

OTHELLO. — Qui est là ?

ÉMILIA. — Oh ! mon bon seigneur, je voudrais vous dire un mot.

OTHELLO. — Oui... C'est Émilia... Tout à l'heure ! Elle est morte... Il est probable qu'elle vient me parler de la mort de Cassio ; le bruit a été grand... Ah ! plus un mouvement ! Calme comme la tombe... Est-il bon que je la laisse entrer ? Je crois qu'elle remue encore... Non !... Que faire ? Si elle entre, elle voudra sûrement parler à ma femme... Ma femme ! ma femme !

Quelle femme ? Je n'ai pas de femme. Oh ! insupportable idée ! Oh ! heure accablante ! Il me semble qu'il devrait y avoir à présent une immense éclipse du soleil et de la lune, et que le globe épouvanté devrait s'entrouvrir à ce bouleversement.

ÉMILIA, *de l'intérieur.* – Je vous en conjure, laissez-moi vous parler, oh ! mon bon seigneur !

OTHELLO. – Je t'avais oubliée. Allons ! entre, Émilia. *(Il va à la porte, puis se ravise et revient précipitamment vers le lit, dont il ferme les rideaux.)* Doucement !... Tout à l'heure ! Tirons les rideaux... Où es-tu ? Que me veux-tu à présent ? *(Il ouvre la porte.)*

Entre Émilia.

ÉMILIA. – Oh ! mon bon seigneur, il y a un meurtre affreux commis là-bas.

OTHELLO. – Quoi ! à l'instant ?

ÉMILIA. – A l'instant même, monseigneur !

OTHELLO. – C'est la conséquence de l'aberration de la Lune : elle approche de la Terre plus près que de coutume, et elle rend fous les hommes.

ÉMILIA. – Monseigneur, Cassio a tué un jeune Vénitien nommé Roderigo.

OTHELLO. – Roderigo tué ! Et Cassio tué !

ÉMILIA. – Non, Cassio n'est pas tué.

OTHELLO. – Cassio n'est pas tué ? Alors le meurtre détonne, et l'harmonieuse vengeance est faussée !

DESDÉMONA, *d'une voix expirante.* – Ô injustement ! injustement tuée !

ÉMILIA. – Ciel ! quel est ce cri ?

OTHELLO. – Ce cri ! Lequel ?

ÉMILIA, *s'élançant vers le lit.* – Horreur !... Hélas ! c'était la voix de madame... Au secours ! au secours ! Holà ! au secours !... Ô madame, parlez encore ! Douce Desdémona ! ô douce maîtresse, parlez !

DESDÉMONA. – Je meurs innocente !

ÉMILIA. – Mais qui a commis cette action ?

DESDÉMONA. – Personne ! Moi ! moi-même ! Adieu ! Recommande-moi à mon bon seigneur... Oh ! adieu ! *(Elle meurt.)*

OTHELLO. – Mais comment aurait-elle été assassinée ?

ÉMILIA. – Hélas ! qui sait ?

OTHELLO. – Vous l'avez entendue le dire elle-même : ce n'est pas moi.

ÉMILIA. – Elle l'a dit : je suis tenue de rapporter la vérité.

OTHELLO. – Elle est allée, la menteuse, dans l'enfer brûlant : c'est moi qui l'ai tuée.

ÉMILIA. – Oh ! elle n'en est que plus un ange, et vous n'en êtes qu'un plus noir démon.

OTHELLO. – Elle tournait au dévergondage, et c'était une putain.

ÉMILIA. – Tu la calomnies, et tu es un démon.

OTHELLO. – Elle était trompeuse comme l'onde.

ÉMILIA. – Tu es effréné comme la flamme d'oser dire qu'elle était trompeuse. Oh ! elle était d'une loyauté céleste.

OTHELLO. – Cassio l'avait saillie ! Demande à ton mari, d'ailleurs. Oh ! je serais damné au-dessous de toutes les profondeurs de l'enfer, si je n'étais pas allé, sur le terrain du juste, jusqu'à cette extrémité. Ton mari a su tout cela.

ÉMILIA. – Mon mari ?

OTHELLO. – Ton mari.

ÉMILIA. – Qu'elle était infidèle au lit nuptial ?

OTHELLO. – Oui, avec Cassio. Si elle avait été fidèle, quand le ciel m'aurait offert un autre univers formé d'une seule topaze massive et pure, je ne l'aurais pas cédée en échange.

ÉMILIA. – Mon mari !

OTHELLO. – Oui, c'est lui qui m'a le premier parlé d'elle... C'est un honnête homme, et il a horreur de la fange qui s'attache aux actions immondes.

ÉMILIA. – Mon mari !

OTHELLO. – A quoi bon cette répétition, femme ? Je dis ton mari.

ÉMILIA. – Ô ma maîtresse, la scélératesse a pris pour jouet l'amour. Mon mari a dit qu'elle était infidèle ?

OTHELLO. – Lui-même, femme. Je dis ton mari ; comprends-tu le mot ? Mon ami, ton mari, l'honnête, l'honnête Iago !

ÉMILIA. – S'il a dit cela, puisse son âme pernicieuse pourrir d'un demi-atome chaque jour ! Il a menti du fond du cœur. Elle n'était que trop follement éprise de son affreux choix.

OTHELLO, *menaçant*. – Ah !

ÉMILIA. – Fais ce que tu voudras. Ton action n'est pas plus digne du ciel que tu n'étais digne d'elle.

OTHELLO, *la main sur son épée*. – Taisez-vous, cela vaudra mieux !

ÉMILIA. – Tu n'as pas pour faire le mal la moitié de la force que j'ai pour le souffrir. Ô dupe ! ô idiot ! aussi ignorant que la crasse ! Tu as commis une action... Je ne m'inquiète pas de ton épée... Je te ferai connaître, dussé-je perdre vingt vies !... Au secours ! holà ! au secours !... Le More a tué ma maîtresse ! Au meurtre ! au meurtre !

Entrent Montano, Gratiano et Iago.

MONTANO. – Que s'est-il passé ? Qu'y a-t-il, général ?

ÉMILIA. – Ah ! vous voilà, Iago ! Il faut que vous ayez bien agi pour que les gens vous jettent leurs meurtres sur les épaules.

GRATIANO. – Que s'est-il passé ?

ÉMILIA, *à Iago, montrant Othello.* – Démens ce misérable, si tu es un homme ! Il prétend que tu as dit que sa femme le trompait. Je sais bien que tu ne l'as pas dit : tu n'es pas un tel misérable. Parle, car mon cœur déborde.

IAGO. – Je lui ai dit ce que je pensais ; et je ne lui ai rien dit qu'il n'ait trouvé lui-même juste et vrai.

ÉMILIA. – Mais lui avez-vous jamais dit qu'elle le trompait ?

IAGO. – Oui.

ÉMILIA. – Vous avez dit un mensonge, un odieux, un damné mensonge ! Un mensonge, sur mon âme ! un infâme mensonge ! Elle, le tromper ! avec Cassio !... Avez-vous dit avec Cassio ?

IAGO. – Avec Cassio, dame ! Allons ! retenez votre langue !

ÉMILIA. – Je ne veux pas retenir ma langue. C'est mon devoir de parler. Ma maîtresse est ici gisante, assassinée dans son lit.

TOUS. – A Dieu ne plaise !

ÉMILIA. – Et ce sont vos rapports qui ont provoqué l'assassinat !

OTHELLO. – Çà ! ne vous ébahissez pas, mes maîtres : c'est la vérité.

GRATIANO. – C'est une étrange vérité.

MONTANO. – Ô monstrueuse action !

ÉMILIA. – Trahison ! trahison ! trahison !... J'y songe, j'y songe... Je devine ! Oh ! trahison ! trahison !... Je l'ai pensé alors !... Je me tuerai de douleur... Oh ! trahison !

IAGO. – Allons ! êtes-vous folle ? Rentrez à la maison, je vous l'ordonne.

ÉMILIA. – Mes bons messieurs, ne me laissez pas interdire la parole ! Il est juste que je lui obéisse, mais pas à présent ! Il se peut, Iago, que je ne retourne jamais à la maison.

OTHELLO, *se jetant sur le corps de Desdémona.* – Oh ! oh ! oh !

ÉMILIA. – Oui, jette-toi là et rugis ! Car tu as tué la plus adorable innocente qui ait jamais levé les yeux au ciel.

OTHELLO. – Oh ! elle était impure ! *(Se relevant.)* Je ne vous reconnaissais pas, mon oncle. Votre nièce est ici gisante. Ces mains viennent en effet de lui ôter le souffle. Je sais que cette action semble horrible et hideuse.

GRATIANO. – Pauvre Desdémona, je suis heureux que ton père ne soit plus ! Ton mariage lui a été fatal et une pure douleur a tranché le fil usé de ses jours. S'il vivait encore, ce spectacle l'aurait jeté dans le désespoir ; il aurait maudit son bon ange, et il serait tombé parmi les réprouvés.

OTHELLO. – C'est bien malheureux, mais Iago sait qu'elle a mille fois commis avec Cassio l'acte d'impudeur, Cassio l'a avoué. Et elle l'a récompensé de ses tendres labeurs en lui donnant le premier souvenir, le premier gage d'amour qu'elle avait eu de moi ; je l'ai vu à la main de Cassio : c'était un mouchoir, antique offrande que ma mère avait reçue de mon père.

ÉMILIA. – Ô ciel, ô puissances célestes !

IAGO. – Allons ! taisez-vous.

ÉMILIA. – Le jour se fera ! le jour se fera !... Me taire, monsieur ? Non ! non ! Je veux parler, libre comme l'air ! Quand le ciel et les hommes et les démons, quand tous, tous, tous crieraient honte sur moi, je parlerai.

IAGO. – Soyez raisonnable, et rentrez.

ÉMILIA. – Je ne veux pas. *(Iago menace sa femme de son épée.)*

GRATIANO. – Fi ! votre épée contre une femme !

ÉMILIA. – Ô More stupide ! ce mouchoir dont tu parles, je l'avais trouvé par hasard et donné à mon mari ; car, maintes fois, avec une insistance solennelle que ne méritait pas un pareil chiffon, il m'avait suppliée de le voler !

IAGO. – Misérable catin !

ÉMILIA. – Elle l'a donné à Cassio ! Non. Hélas ! c'est moi qui l'ai trouvé et qui l'ai donné à mon mari !

IAGO. – Carogne, tu mens !

ÉMILIA. – Par le ciel ! je ne mens pas. Je ne mens pas, messieurs ! *(A Othello.)* Ô meurtrier idiot ! qu'est-ce qu'un fou pareil pouvait faire d'une si noble femme ? *(Iago frappe Émilia de son épée, et se sauve.)*

OTHELLO. – N'y a-t-il donc de foudres au ciel que pour tonner ? Oh ! l'insigne scélérat ! *(Pendant qu'Othello parle, Montano lui enlève son épée.)*

GRATIANO, *montrant Émilia qui chancelle.* – Elle tombe ! Pour sûr, il a tué sa femme.

ÉMILIA. – Oui, oui. Oh ! mettez-moi à côté de ma maîtresse. *(On la porte sur le lit.)*

GRATIANO. – Il s'est enfui, laissant sa femme assassinée.

MONTANO. – L'infâme scélérat ! Prenez cette épée que je viens de retirer au More, et allez garder la porte en dehors ; ne le laissez pas sortir, tuez-le plutôt. Moi, je cours après le fuyard, car c'est un misérable damné ! *(Montano et Gratiano sortent.)*

OTHELLO. – Je ne suis même plus vaillant. Le premier marmouset venu me prend mon épée ! Mais de quel droit l'honneur survivrait-il à l'honnêteté ? Que tout finisse à la fois !

ÉMILIA, *d'une voix mourante.* – Que présageait ta chanson,

maîtresse ?... Écoute ! peux-tu m'entendre ? Je vais faire comme le cygne et expirer en musique... *Le saule ! le saule ! le saule !...* More, elle était chaste ; elle t'aimait, cruel More ! Puisse mon âme n'aller à la béatitude que si je dis vrai ! En disant ce que je pense, je meurs, je meurs ! *(Elle expire.)*

OTHELLO. – J'ai une autre arme dans cette chambre : c'est une épée d'Espagne trempée dans l'eau glacée. Oh ! la voici. *(S'avançant vers la porte.)* Mon oncle, il faut que je sorte !

GRATIANO, *du dehors.* – Si tu essayes, il t'en coûtera cher. Tu n'as pas d'arme : il faut te résigner forcément.

OTHELLO. – Regarde-moi donc, et parle-moi ; sinon, tout désarmé que je suis, je me jette sur toi.

Rentre Gratiano.

GRATIANO. – Qu'y a-t-il ?

OTHELLO. – Regardez ! j'ai une arme : jamais meilleure épée n'appuya sur la cuisse d'un soldat. J'ai vu le jour où, avec ce faible bras et cette bonne lame, je me suis fait un chemin à travers des obstacles vingt fois plus puissants que votre résistance. Mais, ô vaine forfanterie ! qui peut maîtriser sa destinée ? Il n'en est plus ainsi à présent ! Ne vous effrayez pas, même en me voyant armé. Voici le terme de mon voyage, en voici le but, voici le point de repère de ma voile épuisée ! Vous reculez d'effroi ? Crainte superflue ! Menacez seulement d'un roseau la poitrine d'Othello, et il reculera... Où donc irait Othello ? *(Contemplant Desdémona.)* Ah ! quelle mine tu as maintenant, fille de mauvaise étoile ! Pâle comme ta chemise ! Quand nous nous rencontrerons au jour du jugement, ton apparition précipitera mon âme du ciel, et les démons l'attraperont. Froide ! froide, ma fille ! froide comme ta chasteté !... Ô maudit, maudit scélérat !... Fouettez-moi, démons, loin des jouissances de cette vision céleste ! Soufflez-moi dans vos ouragans ! Rôtissez-moi dans le soufre ! Lavez-moi aux torrents profonds de la flamme liquide !... Ô Desdémona ! Desdémona ! Morte ! morte ! Oh ! oh ! oh !

Entrent Lodovico, Montano, Cassio, porté sur un brancard, puis des officiers conduisant sous escorte Iago prisonnier.

LODOVICO. – Où est ce forcené ? où est ce malheureux ?

OTHELLO. – Voici celui qui fut Othello : me voici.

LODOVICO, *cherchant Iago.* – Où est cette vipère ? Faites avancer ce scélérat !

OTHELLO, *apercevant Iago.* – Je regarde ses pieds... Mais c'est une fable. Si tu es un diable, je ne puis te tuer. *(Il blesse Iago.)*

LODOVICO. – Arrachez-lui son épée.

IAGO. – Mon sang coule, monsieur ; mais je ne suis pas tué.

OTHELLO. – Je n'en suis pas fâché : je souhaite que tu vives ; car, à mon sens, c'est un bonheur de mourir.

LODOVICO. – Ô Othello, toi qui, si bon jadis, es ainsi tombé dans le piège d'un scélérat maudit, que peut-on te dire ?

OTHELLO. – Tout ! tout ! Appelez-moi honorable meurtrier, si vous voulez ; car je n'ai rien fait par haine, j'ai fait tout par honneur.

LODOVICO. – Ce misérable a en partie confessé son crime. Étiez-vous d'accord avec lui pour la mort de Cassio ?

OTHELLO. – Oui.

CASSIO. – Cher général, je ne vous ai jamais donné sujet de haine.

OTHELLO. – Je le crois, et j'implore votre pardon... Voulez-vous, je vous prie, demander à ce demi-démon pourquoi il m'a ainsi englué corps et âme ?

IAGO. – Ne me demandez rien : ce que vous savez, vous le savez. Désormais, je ne dis plus une parole.

LODOVICO. – Quoi ! pas même pour prier ?

GRATIANO. – La torture vous ouvrira les lèvres.

OTHELLO, à Iago. – Tu fais bien, après tout.

LODOVICO. – Monsieur, vous allez apprendre ce qui est arrivé ; car vous l'ignorez, je pense. Voici une lettre qu'on a trouvée dans la poche de Roderigo assassiné, et en voici une seconde. L'une prouve que Roderigo devait se charger du meurtre de Cassio.

OTHELLO. – Ô scélérat !

CASSIO. – Abomination païenne !

LODOVICO. – L'autre est une lettre de reproches trouvée aussi dans la poche du mort, que sans doute Roderigo voulait envoyer à ce damné scélérat, mais il paraît que dans l'intervalle Iago est survenu et l'a satisfait.

OTHELLO. – Ô le pernicieux drôle ! Comment, Cassio, avez-vous eu ce mouchoir qui était à ma femme ?

CASSIO. – Je l'ai trouvé dans ma chambre ; et lui-même vient d'avouer à l'instant qu'il l'avait laissé tomber pour le projet spécial qui a réussi selon ses désirs.

OTHELLO. – Ô fou ! fou ! fou !

CASSIO. – En outre, dans cette même lettre, Roderigo reproche à Iago de l'avoir poussé à me braver sur la place de garde. Et tout à l'heure encore, quand on le croyait mort depuis longtemps, il a dit qu'Iago l'avait aposté et qu'Iago l'avait frappé.

LODOVICO, à Othello. – Vous allez quitter cette chambre et nous suivre. Votre pouvoir, votre commandement vous sont enlevés, et c'est Cassio qui gouverne à Chypre. Quant à ce gueux, s'il est quelque savant supplice qui puisse le torturer en le laissant vivre longtemps, il lui est réservé. *(A Othello.)* Vous, vous resterez prisonnier jusqu'à ce que la nature de votre faute soit connue du Sénat de Venise... Allons ! qu'on l'emmène !

OTHELLO. – Doucement, vous ! Un mot ou deux avant que vous partiez ! J'ai rendu à l'État quelques services ; on le sait : n'en parlons plus. Je vous en prie, dans vos lettres, quand vous raconterez ces faits lamentables, parlez de moi tel que je suis ; n'atténuez rien, mais n'aggravez rien. Alors vous aurez à parler d'un homme qui a aimé sans sagesse, mais qui n'a que trop aimé ! d'un homme peu accessible à la jalousie, mais qui, une fois travaillé par elle, a été entraîné jusqu'au bout ! d'un homme dont la main, comme celle du Juif immonde, a jeté au loin une perle plus riche que toute sa tribu ! d'un homme dont les yeux vaincus, quoique inaccoutumés à l'attendrissement, versent des larmes aussi abondamment que les arbres arabes leur gomme salutaire ! Racontez cela, et dites en outre qu'une fois, dans Alep, voyant un Turc, un mécréant en turban, battre un Vénitien et insulter l'État, je saisis ce chien de circoncis à la gorge et le frappai ainsi. *(Il se perce de son épée.)*

LÓDOVICO. – Ô conclusion sanglante !

GRATIANO. – Toute parole serait perdue.

OTHELLO, *s'affaissant sur Desdémona.* – Je t'ai embrassée avant de te tuer... Il ne me restait plus qu'à me tuer pour mourir sur un baiser ! *(Il expire en l'embrassant.)*

CASSIO. – Voilà ce que je craignais, mais je croyais qu'il n'avait pas d'arme ; car il était grand de cœur !

LODOVICO, *à Iago.* – Ô limier de Sparte, plus féroce que l'angoisse, la faim ou la mer, regarde le fardeau tragique de ce lit ! Voilà ton œuvre !... Ce spectacle empoisonne la vue : qu'on le voile ! *(On tire les rideaux sur le lit.)* Gratiano, gardez la maison, et saisissez-vous des biens du More, car vous en héritez. *(A Cassio.)* A vous, seigneur gouverneur, revient le châtiment de cet infernal scélérat. Décidez l'heure, le lieu, le supplice... Oh ! qu'il soit terrible ! Quant à moi, je m'embarque à l'instant, et je vais au Sénat raconter, le cœur accablé, cette accablante aventure. *(Ils sortent.)*

$\mathcal{L}$ibrio

108

Composition PCA-44400 Rezé
Achevé d'imprimer en Italie par 🦁 Grafica Veneta
en décembre 2014 pour le compte de E.J.L.
87, quai Panhard-et-Levassor, 75013 Paris
EAN 9782290338889

1er dépôt légal dans la collection : février 1996

Diffusion France et étranger : Flammarion